JN285491

愛情いっぱい
手作りの赤ちゃん服
お誕生から2歳までのワードローブ

月居良子

文化出版局

contents

6 やわらかな素材の肌着セット

8 ベビードレスのおでかけセット

10 たくさんほしい小さなスタイ

11 ナイロン素材のお食事エプロン

12 市販のタオルで作るグッズとウェア

14 ブラウスとスカートつきパンツのセット

16 ジャージーで作るパンツいろいろ

18 てぬぐいで作る産着

19 てぬぐいで作るじんべえ

20 綿プリントで作るゆかた

22 スモック風ブラウス

23 女の子のための夏のふだん着

24 ジャージーで作るトップいろいろ

26 何枚もあると便利、パンツいろいろ

28　男の子と女の子のよそいき

30　あったか素材で作るケープ

32　キルティングで作るジャケット

34　くまとうさぎのカバーオール

36　おねんねしても安心のスリーパー

how to make

37　肌着の作り方

38　じんべえの作り方

39　パンツの作り方A

40　パンツの作り方B

40　スタイの作り方

41　作りはじめる前に

はじめておかあさんになる人は、

もうすぐ会える赤ちゃんのためにいろいろな準備をすることと思います。

この本では、

生まれたばかりの赤ちゃんのための手縫いでできる肌着から、

元気に歩きまわるころに活用できるパンツやおでかけ着まで、

おしゃれでいて、簡単に作れるウェアをそろえました。

既製品は充実しているけれど、

おかあさんの手作り服にまさるものはありません。

世界中にたったひとつの手作り服。

どうぞ、楽しく作って、かわいい赤ちゃんに着せてあげてください。

月居良子

5

やわらかな素材の肌着セット 〈身長50〜70cm〉

1
2
3
4
5

赤ちゃんの衣類の中で数多く必要なのが肌着。1〜5のダブルガーゼ、6〜9のジャージーは吸水性があってソフトな肌触りが特徴です。デリケートな赤ちゃんの肌にじかに触れる肌着を、優しい素材で作ってあげましょう。

布／1〜9…ホビーラホビーレ

how to make **1**→p.37、p.42、**2**→p.37、p.43、**4・5**→p.44、**6**→p.45、**3・9**→p.46、**7**→p.47、**8**→p.51

ベビードレスのおでかけセット 〈身長50〜70cm〉

10

how to make 10→p.48、11→p.50

11

退院のときやお宮参りなど、赤ちゃんがおでかけするときに着せたいセット。木綿のレース地でベビードレス、帽子、ファーストシューズを、ケープはカーテン用の布を利用しました。

布／10・11…スワニー

たくさんほしい小さなスタイ

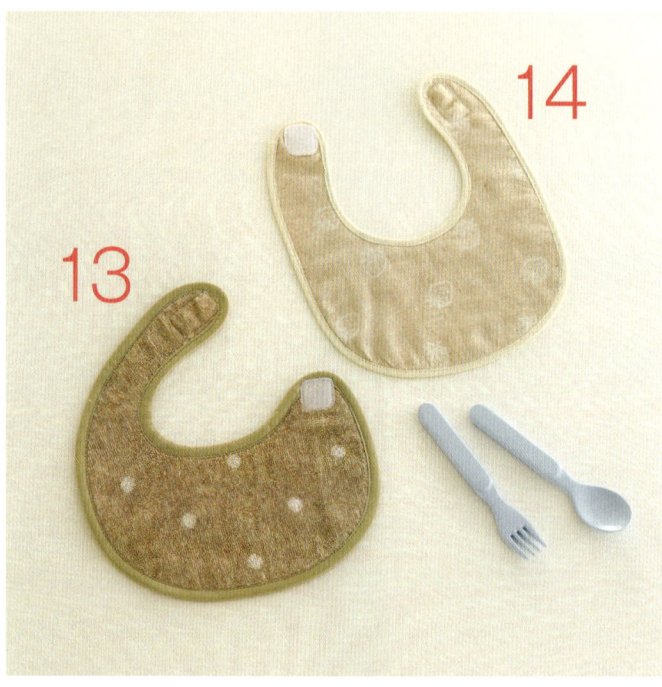

ねんねのころの赤ちゃんには、スタイは何枚あっても足りないくらい。タオル地や少し厚めのジャージー素材はスタイに最適です。赤ちゃんの顔色がひと目でわかるように、優しい色の布を選んでください。

布／12左…大塚屋、12右…スワニー、13・14…ユザワヤ

how to make **12・13・14** → p.40（14）、p.52

ナイロン素材のお食事エプロン 〈15＝身長80〜90cm〉

おすわりくらいのころから赤ちゃんは自分で食事をしたがるようになります。食事のときは服が汚れないように、お食事エプロンを着せてあげましょう。袖ありタイプとスタイタイプ、どちらも食べこぼしを受けるポケットつきです。

布／15・16…オカダヤ

how to make **15・16**→p.53

市販のタオルで作るグッズとウェア 〈**19**=身長60〜75cm、**21**=身長60〜80cm〉

市販のタオルを利用すれば手作りがより簡単です。17・18はハンドタオルでスタイ、19はフェースタオルでロンパース、20・21はおふろ上り用のバスローブ。タオルは汗をよく吸うので赤ちゃんにぴったりの素材です。

how to make **17・18・19** → p.54、**20・21** → p.55

20

21

ブラウスとスカートつきパンツのセット 〈身長70〜90cm〉

22

ちょっとしたおでかけに着せたい、半袖ブラウスとパンツのセット。ブラウスは衿ぐりにゴムテープを通したスモックタイプだから、簡単に脱ぎ着ができます。パンツはフリルをつけてスカートのように見せました。

布／22・23…ホビーラホビーレ

how to make 22→p.56、23→p.57

23

ジャージーで作るパンツいろいろ 〈身長75〜90cm〉

ハイハイのころから動きが活発になった赤ちゃんにパンツは欠かせません。まちつきのユニークなパンツはジャージーがおすすめ。裾にリブニットつき、八分丈、スカートを重ねたようなスカッツなど、ちょっとずつアレンジしました。

布／24…藤久、25・26…ユザワヤ、27…大塚屋、28…スワニー

how to make 24・26・27→p.58、25・28→p.59

26   27   28

てぬぐいで作る産着 〈身長50〜70cm〉

赤ちゃんには昔ながらのきものタイプを着せたい、というかたにおすすめなのがこの産着。てぬぐいが2枚あれば作れます。和風柄のてぬぐいを選んでください。

how to make **29**→p.60

てぬぐいで作るじんべえ 〈身長70〜75cm〉

夏に着せたいパンツつきじんべえが、てぬぐい2枚で作れます。袖つき、袖なしはお好みでどうぞ。

how to make　30・31→p.38、p.61

綿プリントで作るゆかた 〈身長80〜90cm〉

32

夏の楽しいイベント花火やお祭りには、手作りのゆかたを着せてあげましょう。男の子と女の子で袖の形に差をつけました。腰上げをしたので少し成長しても着せられます。

布／32・33…スワニー

how to make **32・33**→p.62

33

スモック風ブラウス 〈身長75~90cm〉

34

35

赤ちゃんの遊び着に欠かせないスモック。半袖と長袖があれば一年中着せられます。そのまま着せてもいいし、服の上に重ね着しても。

布／34…ホビーラホビーレ、35…大塚屋

how to make 34→p.64、35→p.65

女の子のための夏のふだん着 〈身長70～90cm〉

36は背中があいたキャミソールとパンツのセット。37はゴムシャーリングのサンドレス。直線だから裁つのも縫うのも簡単です。

布／36・37…ホビーラホビーレ

how to make　36→p.66、37→p.67

ジャージーで作るトップいろいろ 〈身長75〜90cm〉

おしゃれなジャージーが増えてきました。動きが活発な赤ちゃんに伸縮性のあるジャージーは最適な素材。ブラウス、ベスト、ジャンスカ、ジャケットなどいろいろなトップを作りましょう。どれもあきにマジックテープをつけました。

布／38・39・42…大塚屋、40…藤久、41…スワニー

how to make **38・39**→p.68、**40**→p.69、**41・42**→p.70

40

41

42

何枚もあると便利、パンツいろいろ 〈身長70〜90cm〉

43・44はおしゃれ心が芽生えた女の子に。45はギャザーたっぷりでまるい形がかわいいかぼちゃパンツ。46のロングパンツ、47のハーフパンツは男女児とも着られます。

布／43〜47…ホビーラホビーレ

how to make **43・44・45**→p.40（45）、p.71、**46・47**→p.72

45

46

47

27

男の子と女の子のよそいき 〈身長75〜90cm〉

48・49は衿つきのシャツとハーフパンツ。50は胸もとにスモッキング刺繍をあしらったギャザーたっぷりのワンピース。ちょっとしたおでかけに、小さなうちからこんなきちんとした服を着せてあげましょう。

布／48〜50…ホビーラホビーレ

how to make **48**→p.73、**49**→p.74、**50**→p.75

50

あったか素材で作るケープ 〈身長80〜90cm〉

51

フェークファーで作るケープ。51は肩をおおうくらいのさっとはおるタイプ。共布の大きなくるみボタンがポイントです。52はフードつきでヒップくらいまでの着丈があるタイプ。

布／51…大塚屋、52…藤久

how to make 51→p.76、52→p.77

52

キルティングで作るジャケット 〈身長75〜90cm〉

キルティングは2枚の布の間にわたがはさんであるので、これで上着を作れば暖かさ抜群。53はフードつき、54は小さな衿つきです。

布／53・54…スワニー

53

how to make 53→p.78、54→p.79

54

くまとうさぎのカバーオール 〈身長80〜90cm〉

かわいくて暖かくて遊び心満点のカバーオール。ベージュのくまと白のうさぎは同形で耳の形が違うだけ。毛足のあるボアに、手首と足首にリブニットをつけたので着たときにフィットします。

布／55・56…オカダヤ

55

how to make 55・56→p.80

56

おねんねしても安心のスリーパー

57

58

寝ている赤ちゃんの布団代りになるスリーパーはベビーカーでのおでかけにも最適です。57は暖かい季節向けで、成長したらガウンとしても着せられます。58は寒い季節に重宝。

布／57…スワニー、58…オカダヤ

how to make　57→p.82、58→p.83

How to make

肌着の作り方　p.6の①②

1. 裾と前端を表側に三つ折りにする

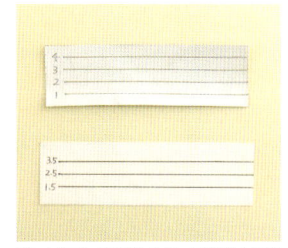

❶アイロン定規を作る。厚紙(はがき程度。20×5cm)に1cm間隔に平行線を引く

❷裾を表側に三つ折りにする。1cm幅に仕上げる場合、アイロン定規を使って2cmの目盛りに合わせて折る

❸さらにアイロン定規を使って1cmの目盛りに合わせて折り込む

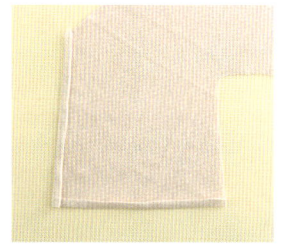

❹裾と同様に前端も1cm幅に三つ折りにする

2. 縫い代を千鳥がけで縫う

❶25番刺繍糸3本どりで縫う。前端の折り目の際、縫い代の折り端から0.2〜0.3cmの位置に裏側から針を出す

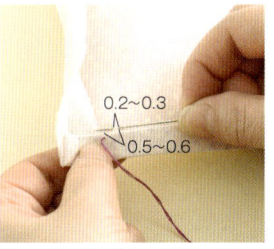

❷左から右上に向かって0.5〜0.6cmの位置に身頃に針を入れ、0.2〜0.3cmすくって針を出す

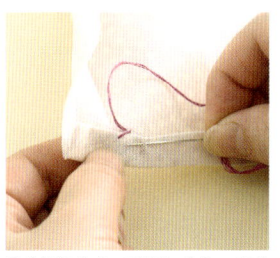

❸右下に向かって0.5〜0.6cmの位置に縫い代に針を入れ、0.2〜0.3cmすくって針を出す

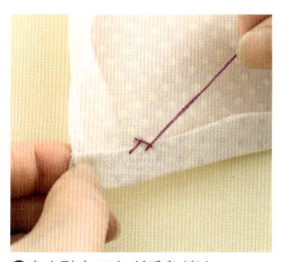

❹糸を引く。これが千鳥がけ

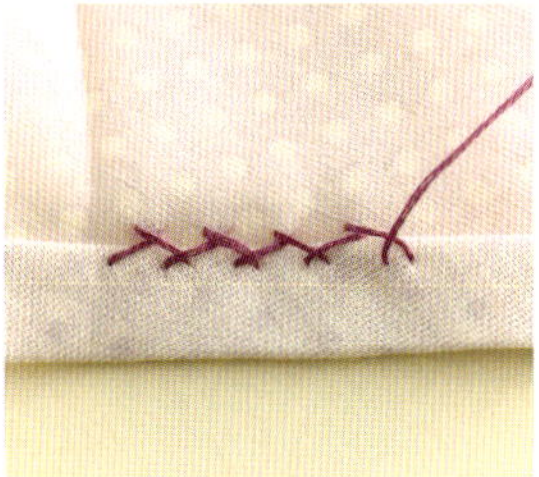

❺裾の縫い代を、❷から❹の動作を繰り返し、千鳥がけで縫いとめる。

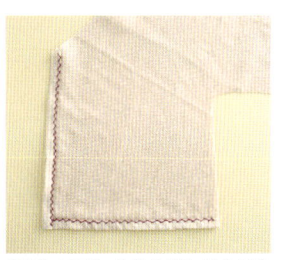

❻裾と同様に前端の縫い代も千鳥がけで縫いとめる

3. 袖下から脇を袋縫いで縫う

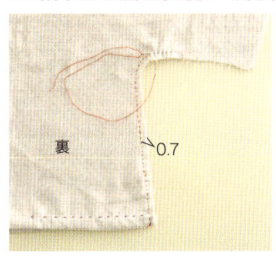

❶手縫い糸で縫う。前と後ろを中表に合わせ、0.7cm幅の位置を返し並縫い(＊)で縫う

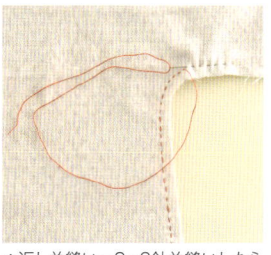

＊返し並縫い＝2〜3針並縫いしたら1針返し縫いをする

❷縫い代を0.5cm幅にカットする

❸表に返して縫い代をアイロンで押さえる

❹0.7cm幅の位置を返し並縫いで縫う。これが袋縫い

p.7の⑥〜⑨

ジャージーの縫い代の始末

縫い代を二つ折りにして、ニット用ミシン糸(レジロン)でジグザグミシンをかけて押さえる

じんべえの作り方　p.19の㉚

1. 前とおくみを折伏せ縫いで縫う

❶前とおくみを中表に合わせて縫う

❷縫い代はおくみ側に倒す

❸前の縫い代でおくみの縫い代をくるむようにアイロンで半分に折る

❹折り山の際にミシンをかける。これが折伏せ縫い

2. 前端と裾を三つ折りにする

❶前端と裾を出来上りに折り、前端の角の縫い代を三角にカットする

❷前端の縫い代を三つ折りにする。裾の角を三角に折る

❸裾の縫い代も三つ折りにする。後ろも同様に三つ折りにする

3. 脇を縫う

中表に合わせて脇を縫う。縫い代は割る

4. 前端と裾を縫う

前端～裾～前端を続けて縫う

5. 袖を作り、つける

❶袖口を三つ折りにしておく。袖下を折伏せ縫いで縫う

❷袖口を縫う

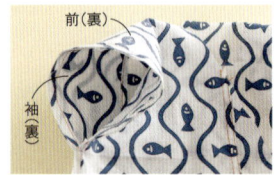

❸身頃と袖を中表に合わせ、袖ぐりを縫う

❹縫い代は身頃側に倒す

＊袖なし(31)の場合は、袖口を二つ折りにして縫う

6. ひもを作り、つける

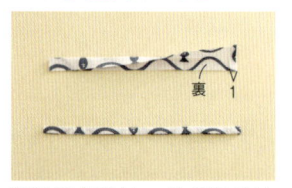

❶先は片側だけ1cm折っておく(上)。四つ折りにする(下)

❷端にミシンをかける。これを4本作る(外ひも2本、内ひも2本)

❸外ひもを、外ひもつけ位置に返し縫いでつける

7. 衿を作り、つける

❶衿2枚を中表に合わせて後ろ中心を縫い、縫い代は割る

❷外表に半分に折り、片側だけ縫い代の1cmを中に折り込む(折り込んだ側が表衿になる。反対側が裏衿)

❸衿ぐりの縫い代（☆位置の1mm手前まで）に、斜めに切込みを入れる

＊切込みを入れると縫い代が開く

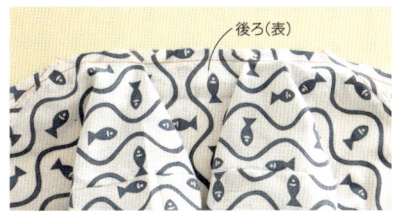

❹身頃の裏に裏衿の表を合わせ、衿をつける

❺衿先は中表に折って縫う

8. 外ひもに押えミシンをかける

❻表に返し、❹の縫い目を隠すように表衿を整え、熱接着糸で仮どめをする（なければまち針でとめる）

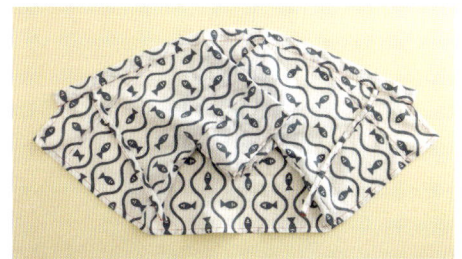

❼表衿にミシンをかける

外ひもを衿側に折り、衿に返し縫いで縫いとめる

9. 内ひもをつける

10. 肩あげをする

出来上り

❶内ひもの1本は右身頃の表側のつけ位置につける

❷中心側に倒して返し縫いで縫いとめる。もう1本は左身頃の内側に同様につける

肩あげ位置で表側に2cm幅に折り、2目落とし（表は小さく2目すくい、2cmくらいの間隔をあける）で縫う

パンツの作り方A　p.19の㉚㉛共通

1. ウエストを三つ折りにする

2. 裾をバイアステープで始末する

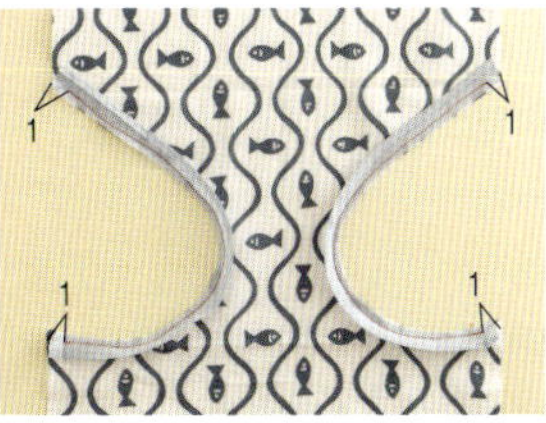

ウエストの縫い代を2.5cm幅に三つ折りにする（→p.37）

❶パンツとバイアステープを、テープの外側のカーブをなじませて中表に合わせ、バイアステープの折り目の位置を縫う。端は1cm縫い残す

❷カーブの部分は細かい間隔で縫い代に切込みを入れ、バイアステープを表に返してアイロンで整える

3. 脇を縫う

4. ウエストと裾を縫い、ゴムテープを通す

右脇はウエストの縫い代からバイアステープの手前まで縫う。左脇はウエストを3.5cm縫い残す（ゴムテープ通し口になる）。縫い代は割る

❶裾のバイアステープの端を1cm折り、突合せにする（ゴムテープ通し口になる）

❷ウエストに2本ミシンをかける（端と幅の中心）。バイアステープもミシンをかける

❸ウエストに長さ40cmを2本、裾に長さ25cmを各1本ずつ、ゴムテープを通す（→p.40）

39

パンツの作り方B　p.27の㊺

1. ウエストと裾を三つ折りにする

ウエストの縫い代は2.5cm幅、裾は1cm幅に三つ折りにする（→p.37）

2. 股上を縫う

❶パンツ2枚を中表に合わせて股上を縫う。後ろはウエストを3.5cm縫い残す（ゴムテープ通し口になる）

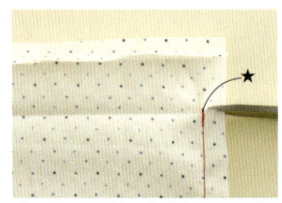

❷★位置で、縫い代1枚に切込みを入れる

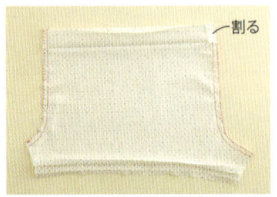

❸後ろ股上は切込みまでの縫い代を割る。ほかは前後とも2枚一緒にジグザグミシンをかける

3. 股下を縫う

❶中表に合わせて股下を縫う。裾は2cm縫い残す（ゴムテープ通し口になる）。後ろ股上と同様、縫い代1枚に切込みを入れる

❷後ろ股上と同様、切込みまでの縫い代は割り、ほかは2枚一緒にジグザグミシンをかける

4. ウエストと裾を縫い、ゴムテープを通す

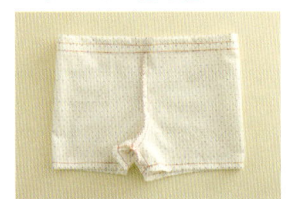

❶ウエストに2本ミシンをかける（端と幅の中心）。裾もミシンをかける

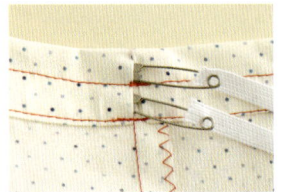

❷ゴムテープ2本の先端にそれぞれ安全ピンをつけ、後ろ股上のゴムテープ通し口から2本一緒に通す

❸2本一緒に通していく

❹端は1cm重ね、2か所を返し縫いで縫う

❺裾にゴムテープを各1本ずつ通す

スタイの作り方　p.10の⑭

1. 周囲をバイアステープでくるむ

❶バイアステープの片側を開いて、スタイの裏側にまち針でとめる。端は1cm折っておく

❷折り目の位置を縫う

＊アウトカーブは、縫い代側はつれぎみになる

＊インカーブは、縫い代側がだぶつく

＊バイアステープの端は、はじめの1cm折ったところに1.5cm重ねる

❸バイアステープを表に返し、❷の縫い目を隠すようにアイロンで折って整え、熱接着糸で仮どめをする（なければまち針でとめる）

❹端にミシンをかける

2. マジックテープをつける

❶マジックテープは、凸側と凹側をそれぞれ、角を丸くカットする

❷つけ位置に縫いつける

作りはじめる前に

サイズについて

- この本の作品は、下記のサイズ表を基にしたもので、新生児から24か月ごろまで作れます。各作品に対象の身長を表示しましたが、これはあくまでも目安ですので赤ちゃんの月齢と身長を参考にしてパターンを選んでください。

- ほどよいゆるみを加えたデザインが多く、赤ちゃんが成長しても1、2年は着られます(個人差があります)。

材料と裁合せについて

- 本文の材料は、布は身長50、60、70、75、80、90cm用を表記しました。指定以外の1つの数字は全サイズに共通です。

- 直線だけのスカートやひも、ゆかたなどはパターンはありませんので、ご自分で製図を引いてください。

- 共布のバイアステープの長さは各サイズによって異なります。裁合せ図の幅と裁つ位置を参考にし、衿ぐりや袖ぐりなど、使用する場所の寸法をはかって長さを出してください。

- 単位はcmです。

参考サイズ表

単位はcm

身長（月齢）	バスト	ウエスト	背丈	袖丈
50（新生児）	45	42	18	21
60（3か月ごろ）				
70（6か月ごろ）				
75（12か月ごろ）	47.5	44	19.5	23.5
80（18か月ごろ）	49	46	21	25
90（24か月ごろ）	51	48	23	28

1 長着〈身長50〜70㎝〉 p.6

①材料
布[ダブルガーゼ]……110㎝幅1.2m
綿テープ……0.9㎝幅1.7m
25番刺繡糸、手縫い糸(細口)

①作り方
1 裾を表側に三つ折りにして千鳥がけで縫う(→p.37)
2 前端を表側に三つ折りにして千鳥がけで縫う
3 袖口を表側に三つ折りにして千鳥がけで縫う
4 左脇に結びひも(綿テープ27㎝)をはさみ、袖下から脇を袋縫いで縫う(→p.37)
5 衿ぐりをバイアステープ(共布裏面)で始末する(→p.43)
6 結びひも(綿テープ27㎝)をつける

①裁合せ図

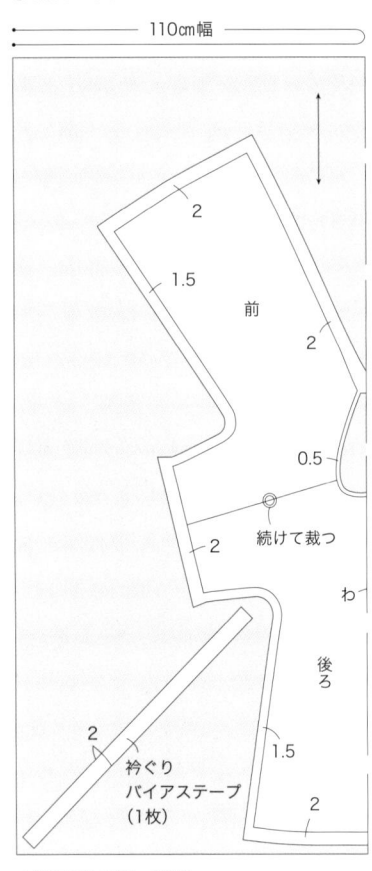

110㎝幅

前
2
1.5
2
0.5
続けて裁つ
わ
後ろ
1.5
2
2
衿ぐりバイアステープ(1枚)

*指定以外の縫い代は1

①作り方順序

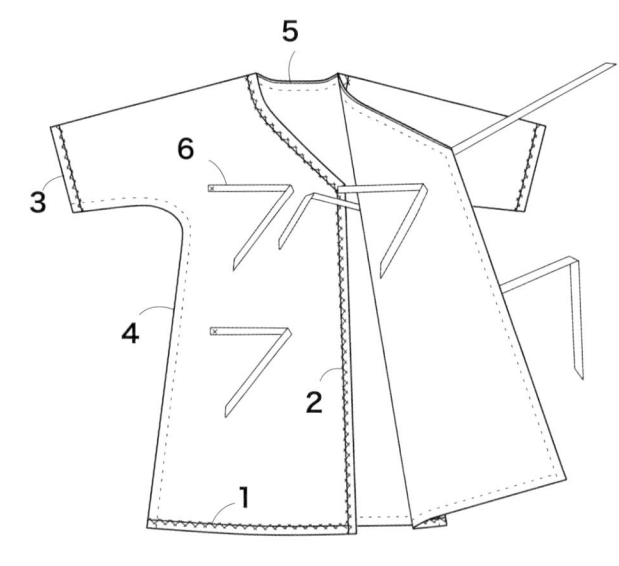

①作り方

1, 2
前(表)
1
1
三つ折りにして千鳥がけ
(刺繡糸3本どり)

6
綿テープのつけ方
0.7
前(表)
返し縫いでとめる
クロスに刺す(刺繡糸3本どり)
折り返して両側をまつり返し縫いでとめる

② 短着 〈身長50〜70cm〉 p.6

②材料
布[ダブルガーゼ]……110cm幅80cm
綿テープ……0.9cm幅1.1m
25番刺繡糸、手縫い糸(細口)

②作り方
1. 裾を表側に三つ折りにして千鳥がけで縫う(→p.37)
2. 前端を表側に三つ折りにして千鳥がけで縫う
3. 袖口を表側に三つ折りにして千鳥がけで縫う
4. 左脇に結びひも(綿テープ27cm)をはさみ、袖下から脇を袋縫いで縫う(→p.37)
5. 衿ぐりをバイアステープ(共布)で始末する
6. 結びひも(綿テープ27cm)をつける(→p.42)

②裁合せ図

*指定以外の縫い代は1

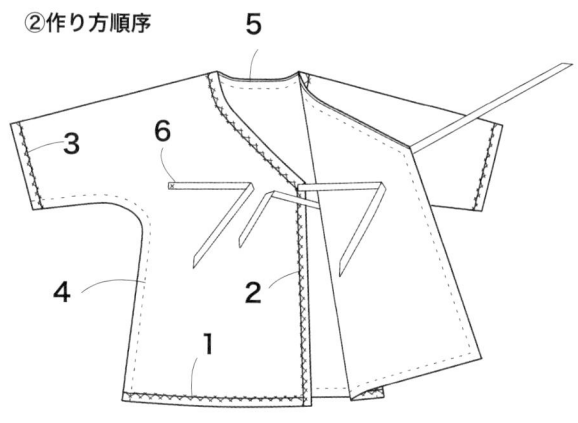

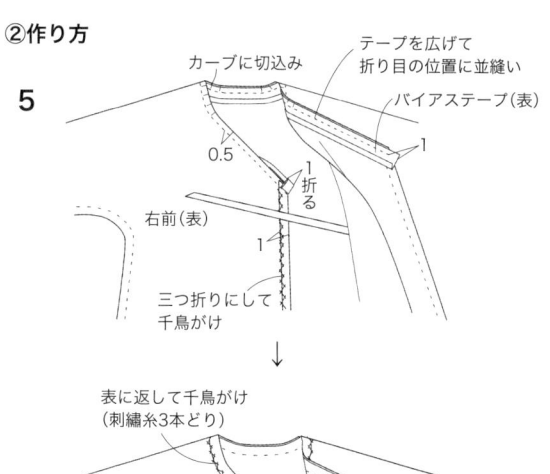

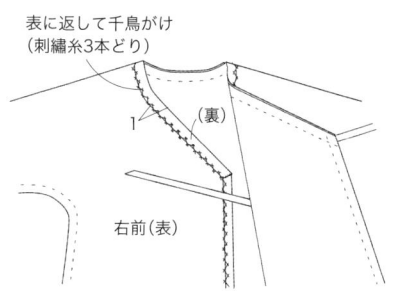

②作り方順序

②作り方

④⑤ スタイ p.6

④⑤材料(共通)
布[ダブルガーゼ]……110cm幅60cm
25番刺繍糸、手縫い糸(細口)

④⑤作り方(共通)
1. 2枚重ねにして周囲を縫い返す
2. 表に返してミシン、または並縫いをする
3. 衿ぐりをバイアステープ(共布)でくるみ、続けて結びひもを縫う

④⑤裁合せ図

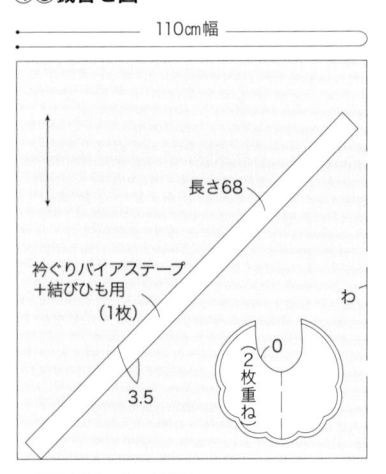

長さ68
衿ぐりバイアステープ＋結びひも用(1枚)
わ
2枚重ね
0
3.5

＊指定以外の縫い代は1

④作り方

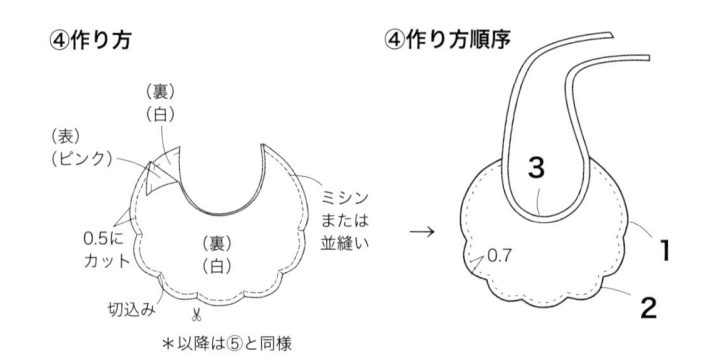

(裏)(白)
(表)(ピンク)
(裏)(白)
0.5にカット
切込み
ミシンまたは並縫い
＊以降は⑤と同様

④作り方順序

3
0.7
1
2

⑤作り方

(裏)(白)
(表)(グリーン)
(裏)(白)
0.5
ミシンまたは並縫い
カット

しつけ
0.7
(表)(グリーン)
ミシンまたは並縫い

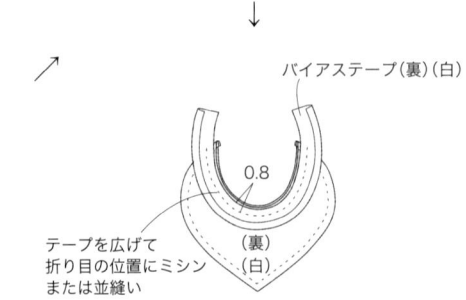

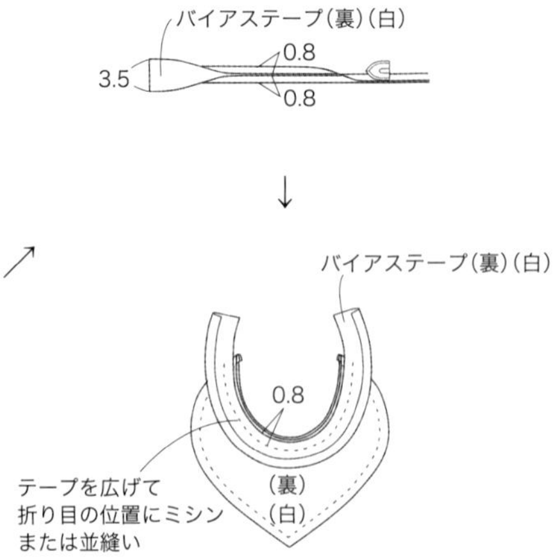

バイアステープ(裏)(白)
3.5
0.8
0.8

バイアステープ(裏)(白)
0.8
(裏)(白)
テープを広げて折り目の位置にミシンまたは並縫い

1折る
25
ミシンまたは細かくまつる
(表)(グリーン)

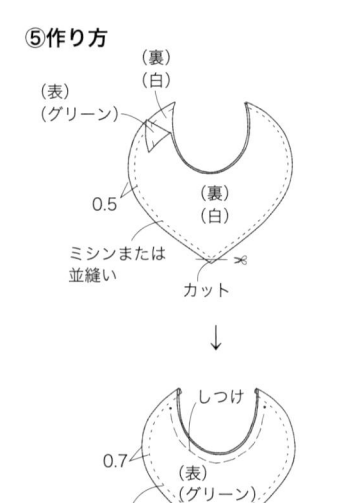

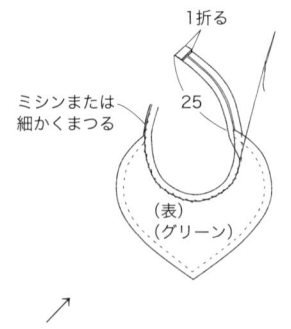

⑤作り方順序

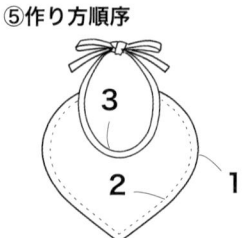

3
2
1

⑥ コンビ肌着〈身長50〜70cm〉 p.7

⑥材料
布[ジャージー]……140cm幅1m
綿テープ……0.9cm幅1.1m
スナップ……直径1cmを2組み

⑥作り方
1. 裾から前端まで表側に二つ折りにしてジグザグミシンで縫う（→p.37）
2. 袖口を表側に二つ折りにしてジグザグミシンで縫う
3. 左脇に結びひも（綿テープ27cm）をはさみ、袖下から脇を袋縫いで縫う（→p.43）
4. 衿ぐりをテープ（共布）で始末する
5. 結びひも（綿テープ27cm。→p.42）とスナップをつける

⑥裁合せ図

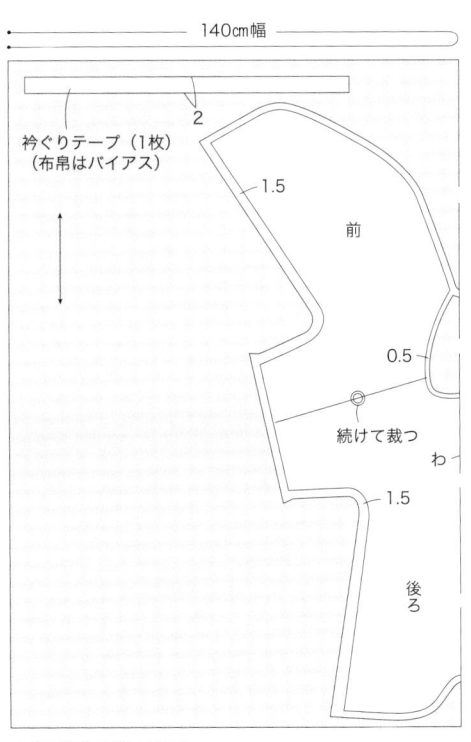

衿ぐりテープ（1枚）
（布帛はバイアス）

前
後ろ
続けて裁つ
わ

＊指定以外の縫い代は1

⑥作り方順序

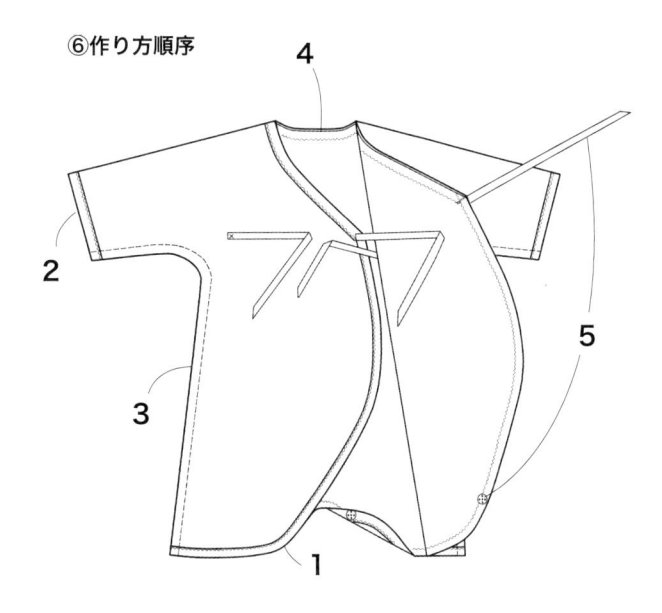

⑥作り方

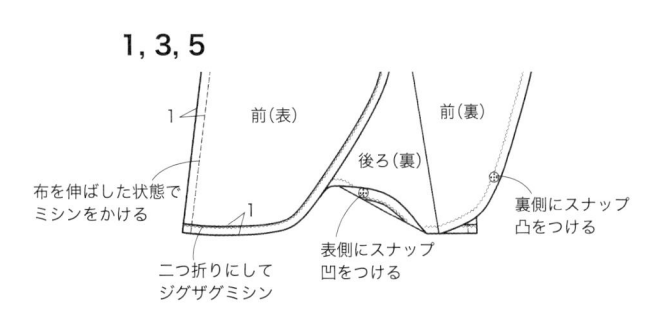

1, 3, 5

前（表）　前（裏）
後ろ（裏）
布を伸ばした状態でミシンをかける
二つ折りにしてジグザグミシン
表側にスナップ凹をつける
裏側にスナップ凸をつける

③ ⑨ パンツ〈身長50〜70㎝〉 p.6、7

③材料
布[ダブルガーゼ]……110cm幅50cm
ゴムテープ……12コール42cm
25番刺繍糸、手縫い糸(細口)

③作り方
1 裾を表側に三つ折りにして千鳥がけ（→p.37）で縫う
2 左右を外表に合わせ、後ろのウエストに
  ゴムテープ通し口を残して股上を折伏せ縫い
  （→p.38）で縫う(縫い代は右側に倒す)
3 ウエストを表側に三つ折りにして縫い、
  ゴムテープ(42cm)を通す
4 左右の股下を袋縫い（→p.37）で縫う

⑨材料
布[ジャージー]……140cm幅50cm
ゴムテープ……12コール42cm

⑨作り方
1 裾を二つ折りにしてジグザグミシンで縫う（→p.37）
2 左右を外表に合わせ、後ろのウエストに
  ゴムテープ通し口を残して前後の股上を折伏せ縫い
  （→p.38、60）で縫う
  (縫い代は前を右側、後ろを左側に倒す)
3 ウエストを表側に二つ折りにしてジグザグミシンで
  縫い、ゴムテープ(42cm)を通す
4 左右の股下を袋縫いで縫う（→p.37）

③⑨裁合せ図

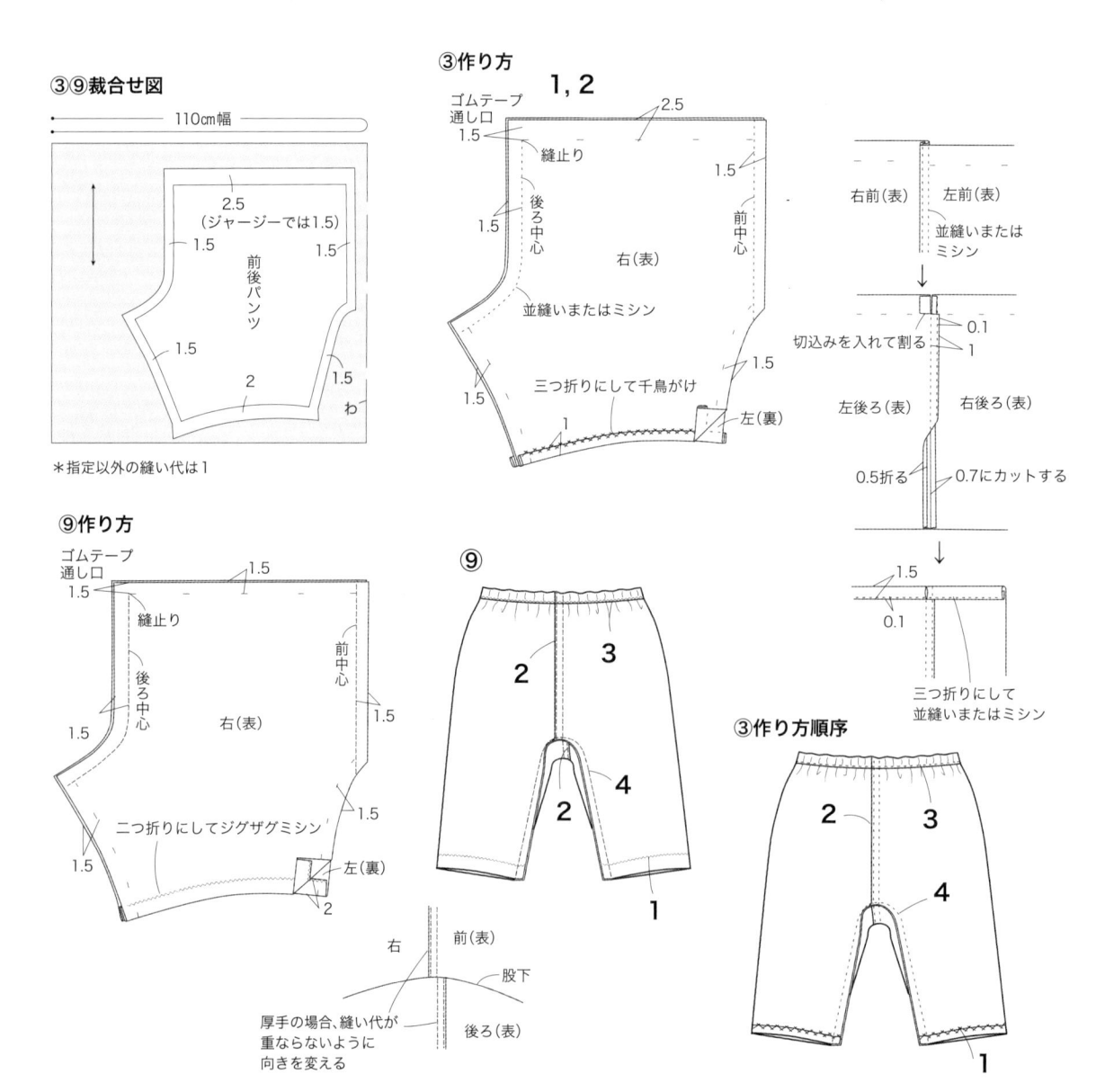

＊指定以外の縫い代は1

⑦ コンビ肌着〈身長50〜70㎝〉 p.7

⑦材料
布[ジャージー]……140cm幅 1.4m
接着芯……4.5×50cm
綿テープ……0.9cm幅 85cm
ソフトマジックテープ……2.5cm幅 14cm

⑦作り方
1. 肩を外表に合わせて折伏せ縫い(→p.38)で縫う
   (縫い代は前側に倒す)
2. 袖口を二つ折りにしてジグザグミシンで縫う
3. 脇を縫う(2枚一緒にM。縫い代は前側に倒す)
4. 股下を縫う(2枚一緒にM。縫い代は前側に倒す)
5. 裾を二つ折りにしてジグザグミシンで縫う
6. 前端を二つ折りにしてジグザグミシンで縫う
7. 衿ぐりをテープ(共布)で始末する
8. 結びひも(綿テープ20cm)とマジックテープをつける
   (→p.40、42)

＊Mは「縫い代にロックミシンまたはジグザグミシンをかける」の略

⑦裁合せ図

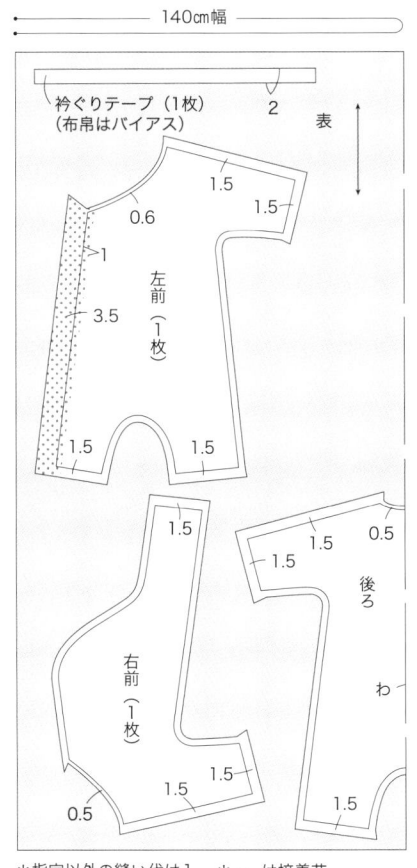

＊指定以外の縫い代は1　＊┊┊は接着芯

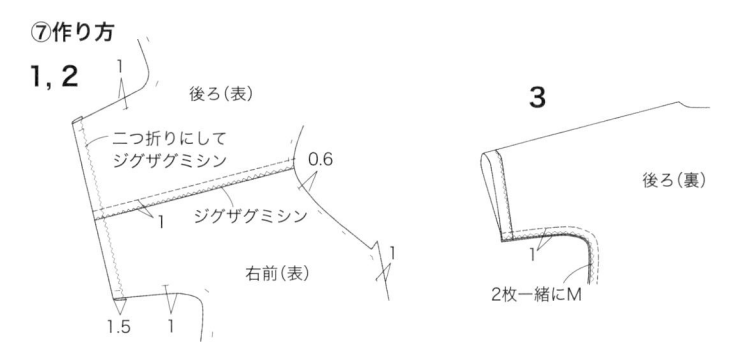

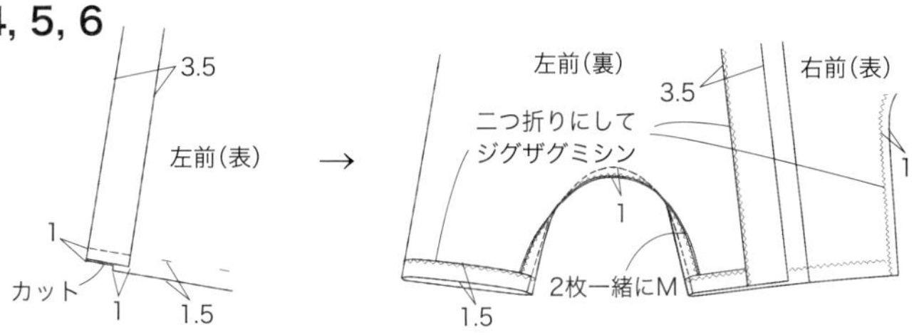

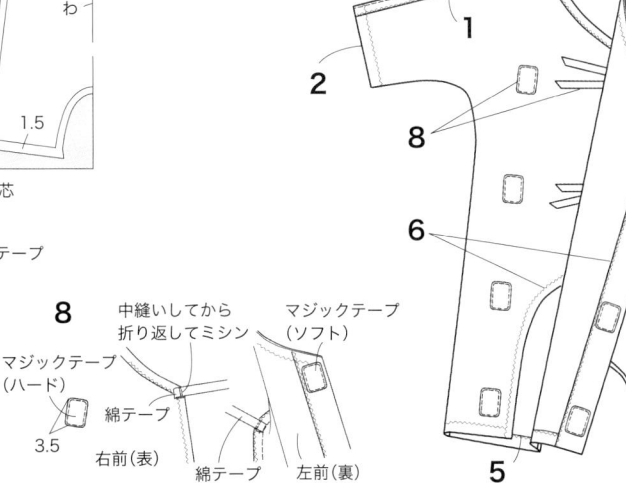

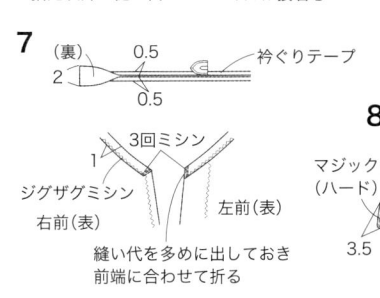

⑩ ベビードレス、帽子、靴 〈身長50〜70cm〉 p.8

⑩材料
布[綿レース地]……110cm幅2.4m
スナップ(ドレス)……直径0.8cmを9組み
リボン(ドレス)……0.9cm幅60cm
ゴムテープ(袖口、靴)……8コール60cm
フェルト(靴)……15×20cm

⑩作り方

帽子
1. 表と裏のトップとサイドをそれぞれ縫い合わせる(縫い代はトップ側に倒す)
2. 表サイドにフリルを仮どめし、裏サイドと中表に合わせ、返し口を残して縫う。表に返して返し口を整え周囲にステッチをかける
3. ひもの周囲を三つ折りにして縫う(フリル参照)。タックをたたみ、サイドにとめつける

靴
1. 側面のゴムテープ通し位置を縫い、ゴムテープ(12cm)を通して両端をとめる
2. つま先と側面を縫い合わせる
3. 裏底とつま先、側面を縫い合わせる
4. つま先、側面を2枚の底ではさみ、返し口を残して再度縫う。表に返して返し口をまつる

ベビードレス
1. 前身頃と前袖を縫い合わせる
   (2枚一緒にM。縫い代は身頃側に倒す)
2. フリルのつけ側にMをかけ、外回りを三つ折りにして縫い、身頃につける
3. 後ろ身頃と後ろ袖を縫い合わせる
   (2枚一緒にM。縫い代は身頃側に倒す)
4. 袖口にゴムテープ通し口を残して袖下、脇を続けて縫う
   (2枚一緒にM。縫い代は後ろに倒す)
5. 袖口を三つ折りにして縫い、ゴムテープ(15cm)を通す
6. スカートにギャザーを寄せて身頃と縫い合わせる
   (2枚一緒にM。縫い代は身頃側に倒す)
7. 前端を完全三つ折りにして縫う
8. 衿ぐりをバイアステープ(共布)でくるむ
9. スナップをつける
10. リボンを結んでまつりつける

＊Mは「縫い代にロックミシンまたはジグザグミシンをかける」の略

⑩裁合せ図

⑩帽子作り方

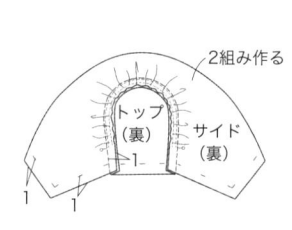

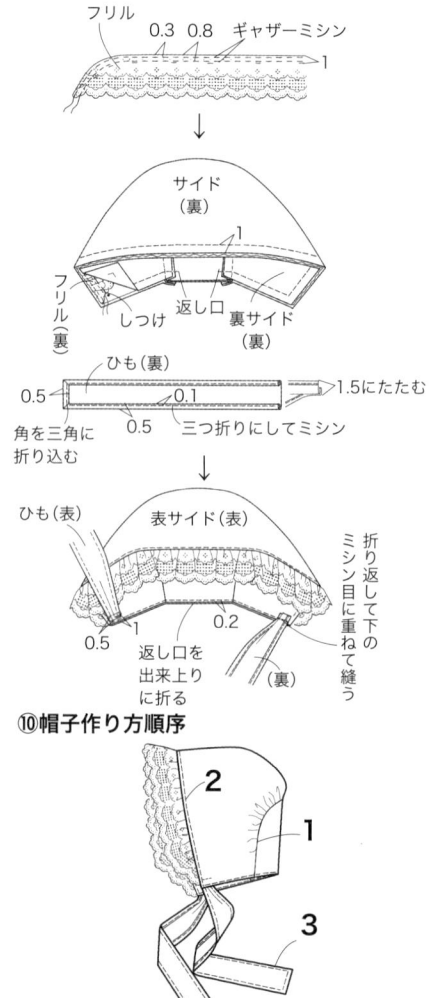

⑩帽子作り方順序

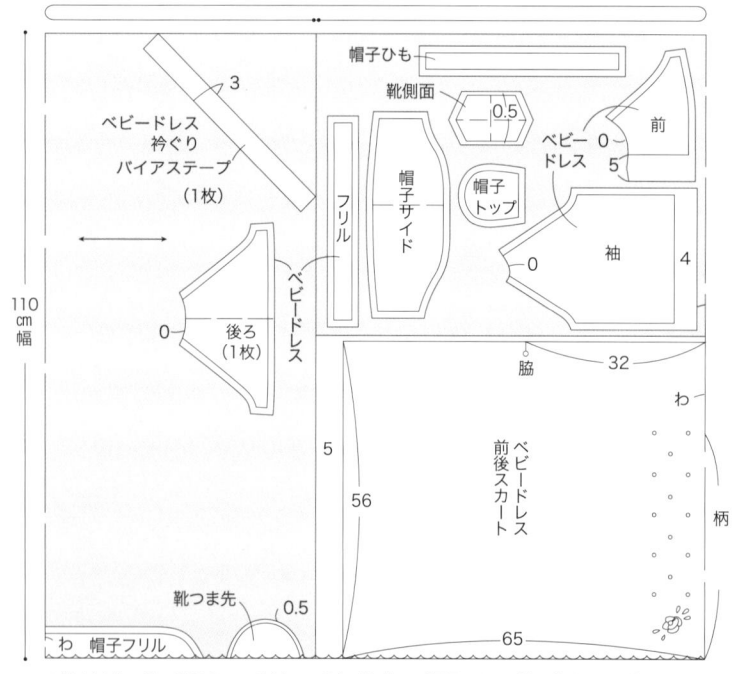

＊指定以外の縫い代は1　＊底はフェルト4枚裁つ(周囲に0.5の縫い代をつける)

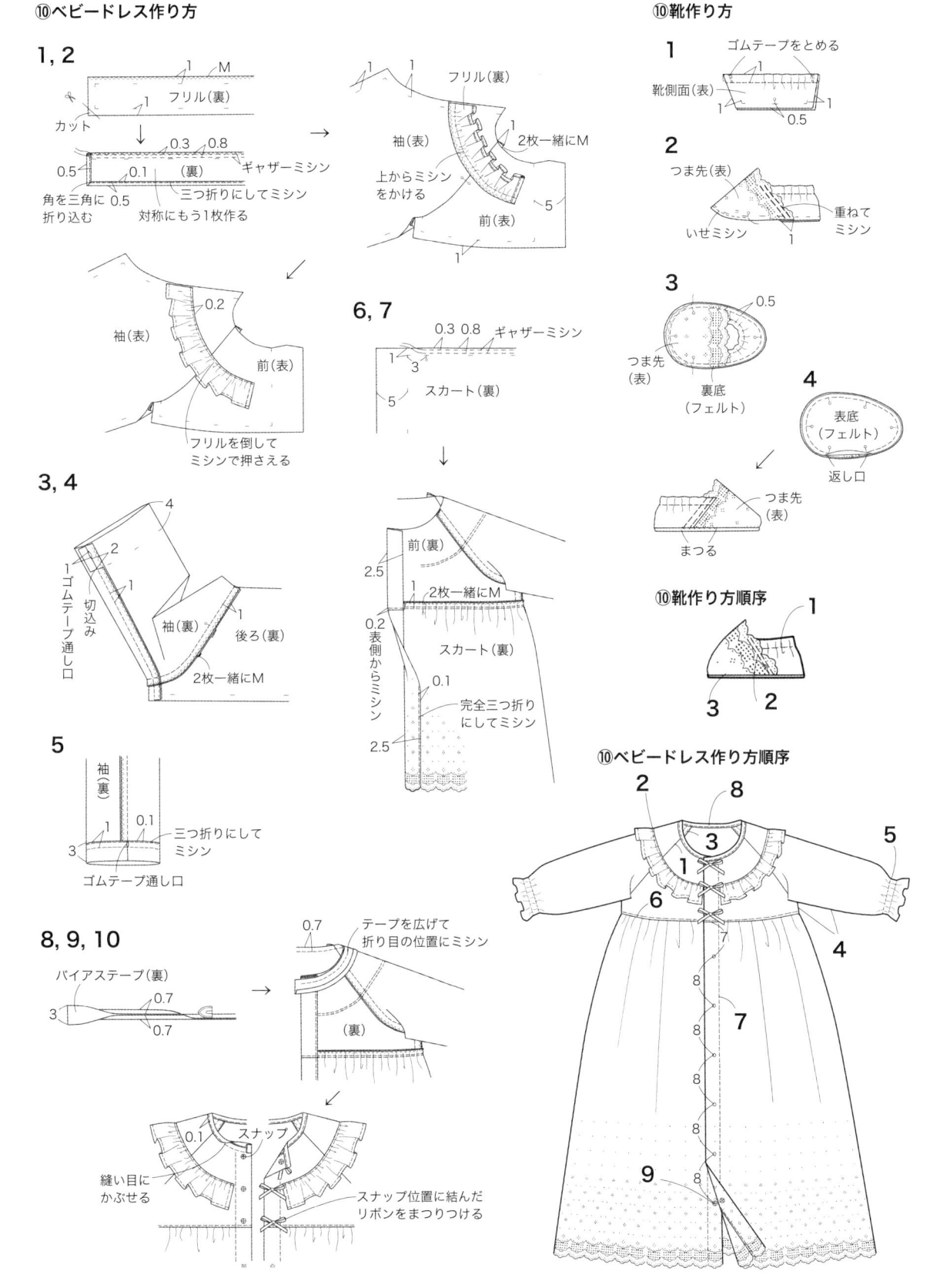

⑩ベビードレス作り方

1, 2
- フリル(裏)
- カット
- ギャザーミシン
- 角を三角に折り込む
- 三つ折りにしてミシン
- 対称にもう1枚作る
- 袖(表)
- 前(表)
- 2枚一緒にM
- 上からミシンをかける
- フリルを倒してミシンで押さえる

3, 4
- ゴムテープ通し口
- 切込み
- 袖(裏)
- 後ろ(裏)
- 2枚一緒にM

5
- 袖(裏)
- 三つ折りにしてミシン
- ゴムテープ通し口

6, 7
- ギャザーミシン
- スカート(裏)
- 前(裏)
- 2枚一緒にM
- 表側からミシン
- 完全三つ折りにしてミシン

8, 9, 10
- バイアステープ(裏)
- テープを広げて折り目の位置にミシン
- スナップ
- 縫い目にかぶせる
- スナップ位置に結んだリボンをまつりつける

⑩靴作り方

1
- ゴムテープをとめる
- 靴側面(表)

2
- つま先(表)
- いせミシン
- 重ねてミシン

3
- つま先(表)
- 裏底(フェルト)

4
- 表底(フェルト)
- 返し口
- つま先(表)
- まつる

⑩靴作り方順序

⑩ベビードレス作り方順序

49

⑪ ケープ〈身長50〜70cm〉 p.9

⑪材料
布[レース地]……280cm幅 1.5m
リボン……5cm幅 1.2m

⑪作り方
1. 表身頃と裏身頃の肩をそれぞれ縫う（縫い代は後ろ側に倒す）
2. 表身頃と裏身頃を中表に合わせて袖ぐりを縫い返す
3. 脇を縫う（縫い代は後ろ側に倒す）
4. スカートにギャザーを寄せて身頃と縫い合わせる
   （3枚一緒にM。縫い代は上身頃側に倒す）
5. 衿の外回りと前端を三つ折りにして縫い、つけ側に
   ギャザーを寄せる
6. 衿をつける（3枚一緒にM。縫い代は身頃側に倒す）
7. 身頃の前端と、衿ぐりの縫い代をミシンで押さえる
8. リボンにタックをたたみ、前端にとめつける

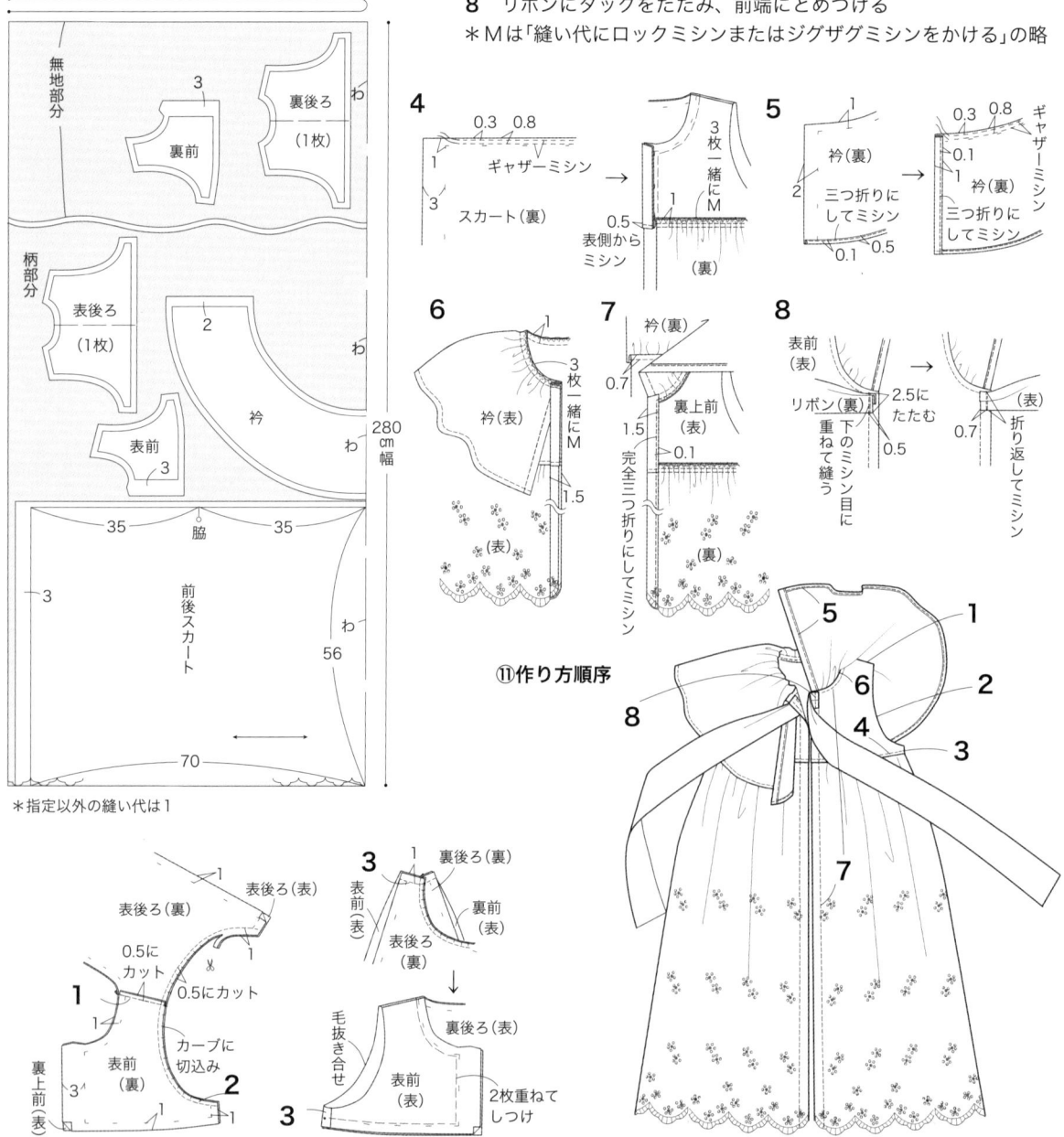

＊Mは「縫い代にロックミシンまたはジグザグミシンをかける」の略

⑪裁合せ図

＊指定以外の縫い代は1

⑪作り方順序

⑧ 短着 〈身長50〜70cm〉 p.7

⑧材料
布[ジャージー]……140cm幅1m
綿テープ……0.9cm幅60cm
ソフトマジックテープ……2.5cm幅7cm

⑧作り方
1 裾を表側に二つ折りにしてジグザグミシンで縫う（→p.37）
2 前端を表側に二つ折りにしてジグザグミシンで縫う
3 袖口を表側に二つ折りにしてジグザグミシンで縫う
4 左脇に結びひも（綿テープ27cm）をはさみ、袖下から脇を袋縫いで縫う
5 衿ぐりをテープ（共布）で始末する
6 結びひも（綿テープ27cm）とマジックテープをつける
（→p.40、42）

⑧裁合せ図

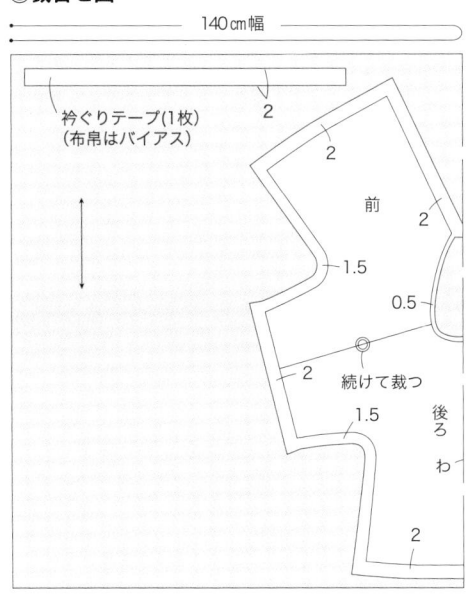

衿ぐりテープ(1枚)
(布帛はバイアス)
前
後ろ
わ
続けて裁つ

＊指定以外の縫い代は1

⑧作り方

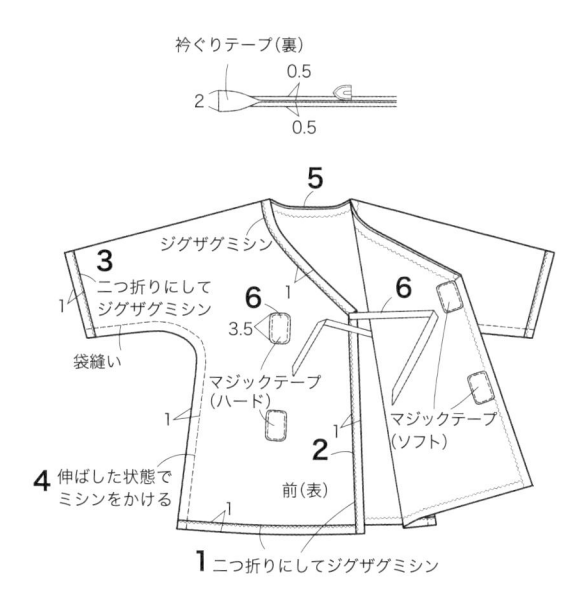

衿ぐりテープ(裏)
ジグザグミシン
二つ折りにしてジグザグミシン
袋縫い
伸ばした状態でミシンをかける
マジックテープ（ハード）
マジックテープ（ソフト）
前（表）
二つ折りにしてジグザグミシン

⑫ ⑬ ⑭ スタイ p.10

⑫材料
布[ジャージー／花柄、動物柄]……各90cm幅40cm
バイアステープ……18mm幅1.3m
ソフトマジックテープ……2.5cm幅5cm

⑫作り方
図参照

⑬材料
布[オーガニックパイル地]……140cm幅30cm
バイアステープ……18mm幅1m
ソフトマジックテープ……2.5cm幅4cm

⑬作り方
図参照

⑭材料
布[オーガニックダブルガーゼ]……110cm幅30cm
バイアステープ……12.7mm幅1.1m
ソフトマジックテープ……2.5cm幅4cm

⑭作り方
図参照

⑫裁合せ図
90cm幅
(2枚重ね) 0 わ

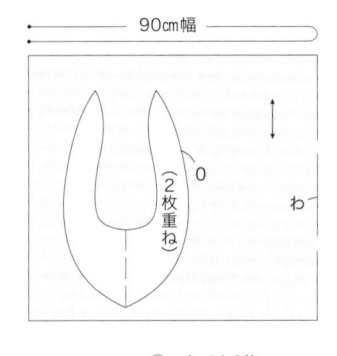

⑭裁合せ図 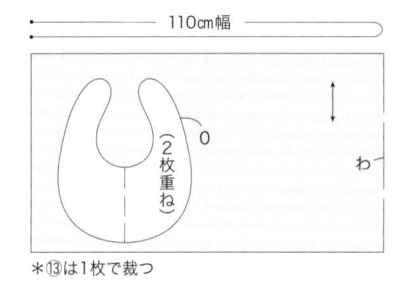
110cm幅
(2枚重ね) 0 わ
＊⑬は1枚で裁つ

⑯裁合せ図
122cm幅
(2枚重ね) 0 わ

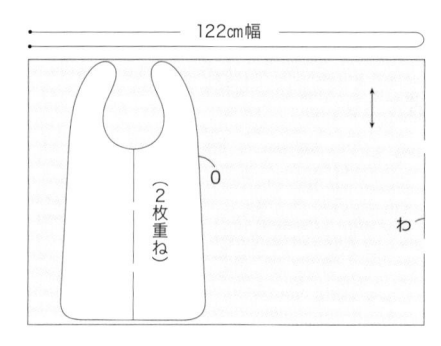

⑫作り方
①スタイを2枚重ねてミシン
②バイアステープでくるむ
③マジックテープをつける
3　5
ハード　裏側にソフト
0.1
(表)
角を折り込む

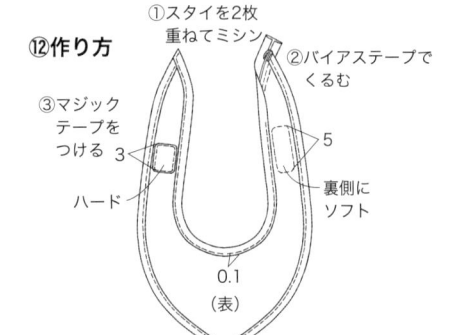

⑬作り方
4　裏側にソフト
②マジックテープをつける
0.1　2.5
(表)　ハード
1枚
①バイアステープでくるむ

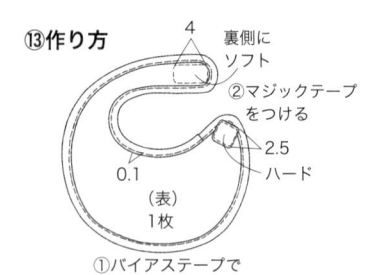

⑭作り方
①スタイを2枚重ねてミシン
③マジックテープをつける
1折る　3　4
ハード　裏側にソフト
0.1
(表)
②バイアステープでくるむ

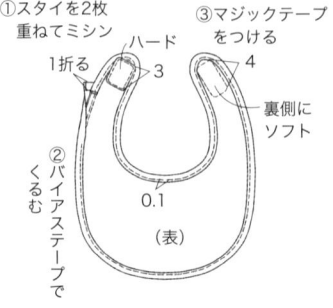

⑯作り方
①スタイを2枚重ねてミシン
③マジックテープをつける
3.5　5
ハード　裏側にソフト
0.1
(表)　2.5　ハード
②バイアステープでくるむ
ソフト

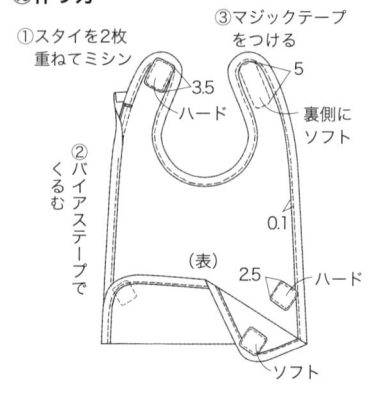

⑮⑯ お食事エプロン 〈15 身長80〜90㎝〉 p.11

⑮材料
布[ナイロンタフタ]……122cm幅70cm
バイアステープ……18mm幅1.8m
ソフトマジックテープ……2.5cm幅8cm
ゴムテープ……8コール40cm

⑮作り方
1. 中表にした前の間に袖をはさんで袖つけ線を縫う
2. 前側にミシンをかけて押さえ、後ろ袖と衿ぐりをバイアステープでくるむ（→p.40）
3. 袖口にゴムテープ通し口を残して袖下を袋縫いにして縫う（縫い代は前側に倒す）
4. 袖口を三つ折りにして縫い、ゴムテープ（15cm）を通す
5. 前の脇と裾をバイアステープでくるむ
6. マジックテープをつける

⑯材料
布[ナイロンタフタ]……122cm幅50cm
バイアステープ……12.7mm幅1.4m
ソフトマジックテープ……2.5cm幅10cm

⑯作り方
p.52参照

⑮裁合せ図

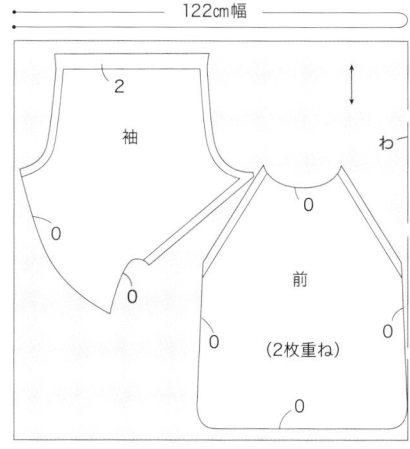

＊指定以外の縫い代は1

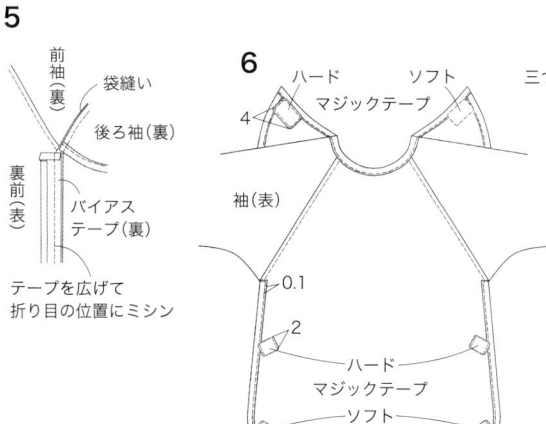

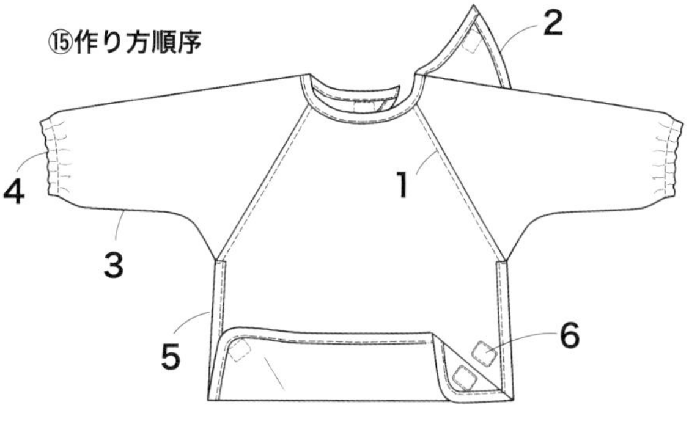

⑰ ⑱ スタイ ⑲ ロンパース 〈⑲ 身長60〜75cm〉 p.12

⑰材料
布[ハンドタオル]……34×35cmを1枚
バイアステープ……18mm幅80cm
ソフトマジックテープ……2.5cm幅3cm

⑰作り方
図参照

⑱材料
布[ハンドタオル]……25×25cmを1枚
バイアステープ……18mm幅1m

⑱作り方
図参照

⑲材料
布[フェースタオル]……34×80cmを1枚
バイアステープ……(裾)12.7mm幅90cm、(ひも)18mm幅1m
ゴムテープ……(背中)1.5cm幅22cm、(裾)8コール50cm

⑲作り方
1. 背中を三つ折りにして縫う
2. 裾をバイアステープで始末する(→p.39)
3. 背中にゴムテープ(22cm)を通し両端をとめ、脇を縫う(縫い代は割る)。裾のバイアステープを仕上げ、ゴムテープを通す
4. 胸のひも通し位置を縫い、ひも(90cm)を作って通す

＊市販のタオルによってサイズが多少異なります

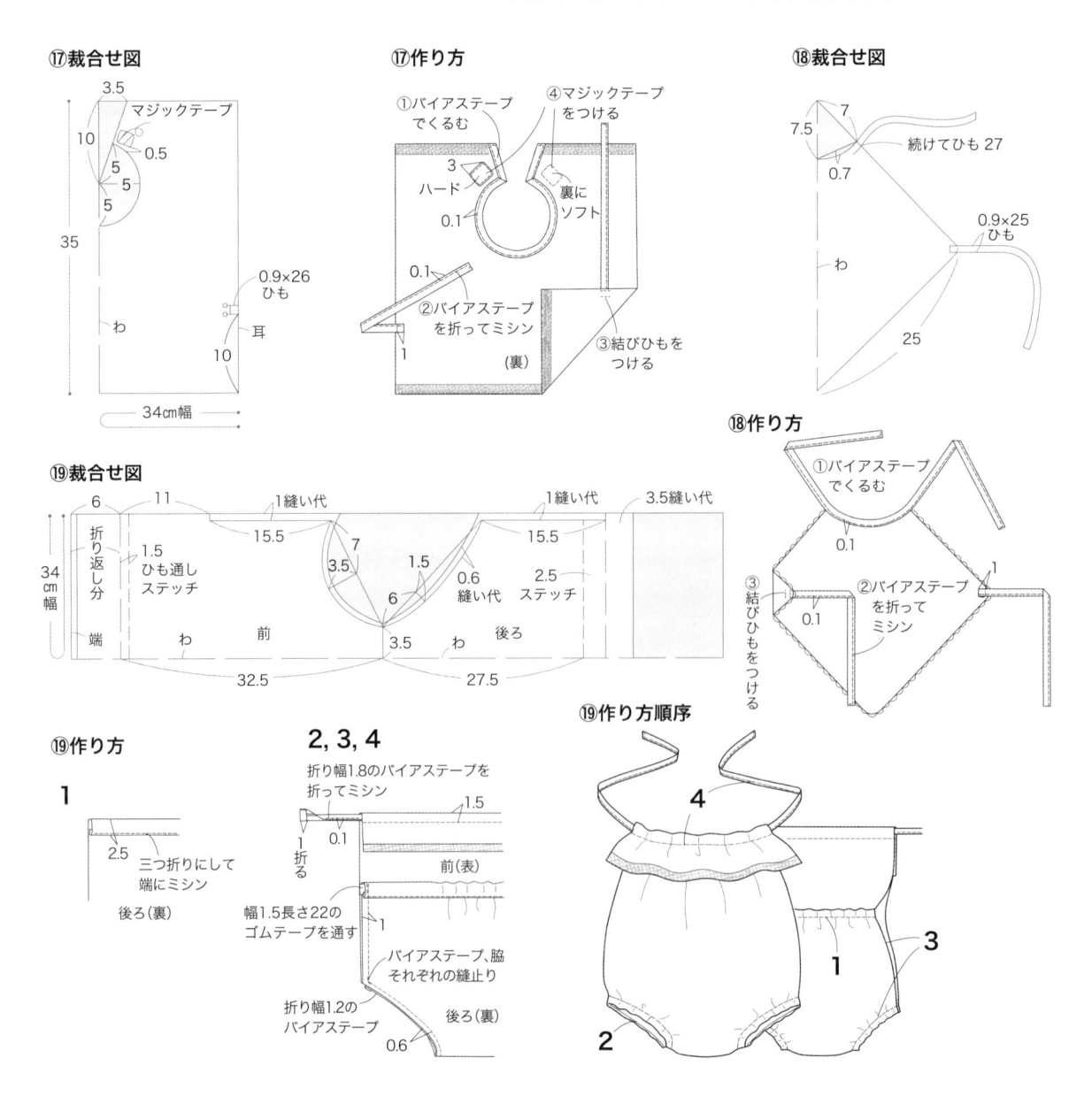

⑳㉑ バスローブ 〈21 身長60～80cm〉 p.13

⑳材料
布[フェースタオル]……34×80cmを1枚
　[ハンドタオル]……34×32cmを1枚

⑳作り方
図参照

㉑材料
布[フェースタオル]……34×80cmを1枚
バイアステープ……18mm幅2.2m

㉑作り方
1. 後ろ中心のタックを縫い、たたむ。表側からミシンをかける
2. 脇を縫う（縫い代は割る）
3. 前端をバイアステープでくるむ（→p.40）
4. 衿ぐりをバイアステープでくるみ、結びひもまで続けて縫う
5. 左脇と右胸に結びひもをつける

＊市販のタオルによってサイズが多少異なります

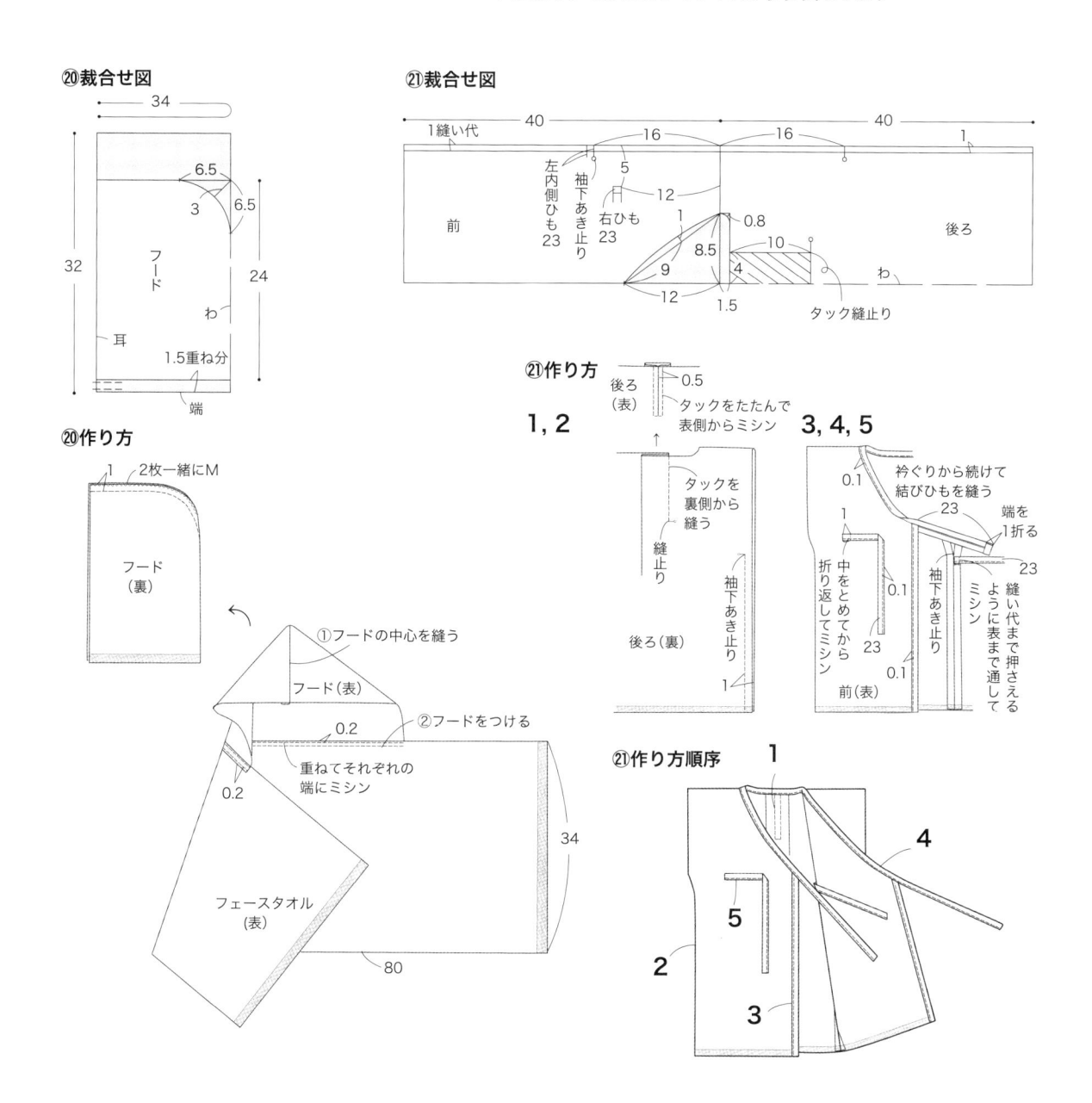

⑳裁合せ図

㉑裁合せ図

⑳作り方

㉑作り方 1, 2

㉑作り方 3, 4, 5

㉑作り方順序

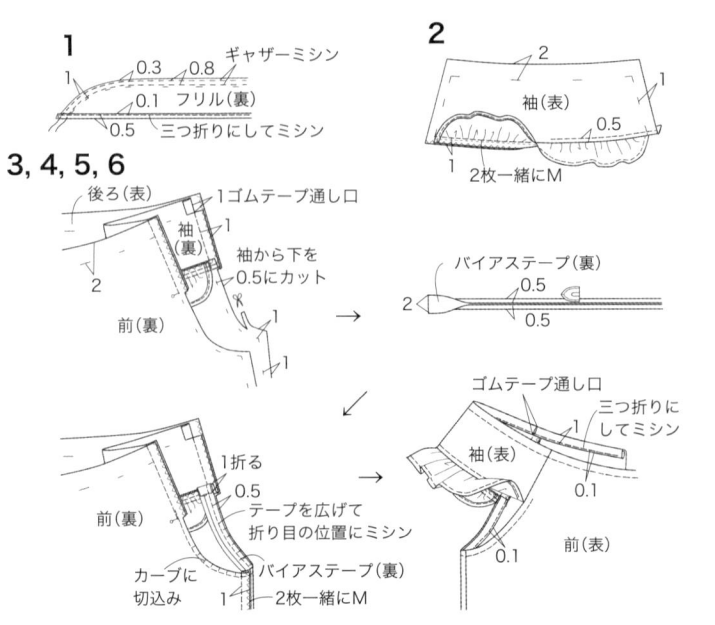

22 ブラウス、パンツ 〈ブラウス=身長80～90cm、パンツ=70～90cm〉 p.14

22材料
布［レース地（片耳スカラップ）］……110cm幅 1.2m
ゴムテープ……8コール1.7m

22作り方
パンツ
p.39、71参照

ブラウス
1 フリルの外側を三つ折りにして縫い、つけ側に
  ギャザーを寄せる
2 袖口にフリルをつける（2枚一緒にM。縫い代は袖側に倒す）
3 後ろ側衿ぐりにゴムテープ通し口を残して
  前後の身頃と袖を縫い合わせる
  （2枚一緒にM。縫い代は身頃側に倒す。→p.64）
4 脇を縫う（2枚一緒にM。縫い代は後ろ側に倒す）
5 袖ぐりをバイアステープ（共布）で始末する
6 衿ぐりを三つ折りにして縫い（→p.64）、
  ゴムテープ（36cm）を通す
7 裾を三つ折りにして縫う
＊Mは「縫い代にロックミシンまたはジグザグミシンをかける」の略

22裁合せ図

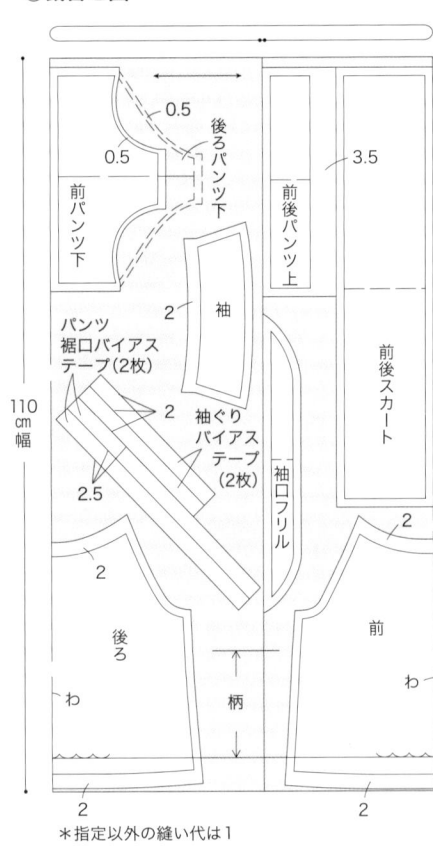

22作り方順序

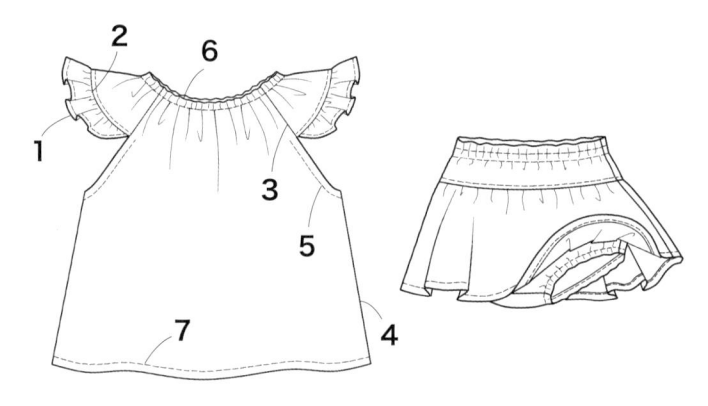

22作り方

23 ブラウス、パンツ 〈ブラウス＝身長80〜90cm、パンツ＝70〜90cm〉 p.15

㉓材料
布［リバティプリント］……110cm幅1.3m
ゴムテープ……8コール2.1m

㉓作り方
パンツ
p.39、71参照

ブラウス
1 後ろ側衿ぐりにゴムテープ通し口を残して前後の身頃と袖を縫い合わせる（2枚一緒にM。縫い代は身頃側に倒す）
2 袖口にゴムテープ通し口を残して袖下と脇を続けて縫う（2枚一緒にM。縫い代は後ろ側に倒す）
3 衿ぐりを三つ折りにして縫い、ゴムテープ（36cm）を通す
4 袖口を三つ折りにして縫い、ゴムテープ（18cm）を通す
5 裾を三つ折りにして縫う

＊Mは「縫い代にロックミシンまたはジグザグミシンをかける」の略

㉓裁合せ図

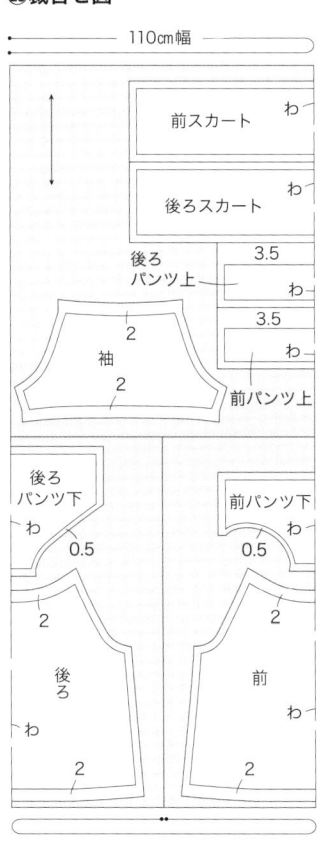

＊指定以外の縫い代は1

㉓作り方順序

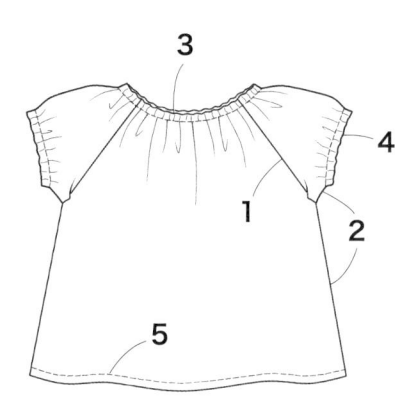

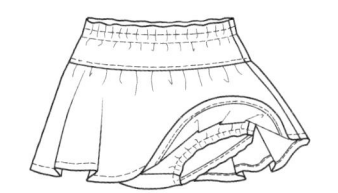

㉔ ㉖ ㉗ まちつきパンツ〈身長75〜90cm〉 p.16、17

㉔材料
布[スウェット地]……90cm幅70cm
ゴムテープ……2cm幅44、45、46cm

㉔作り方
準備……ウエストと裾にMをかける
1. 左ウエストにゴムテープ通し口を残して脇を縫う（2枚一緒にM。縫い代は後ろ側に倒す）
2. 股下を縫う（2枚一緒にM。縫い代は後ろ側に倒す）
3. 裾を二つ折りにして縫う
4. まちをつける（2枚一緒にM。縫い代はまち側に倒す）
5. ウエストを二つ折りにして縫い、ゴムテープ（44、45、46cm）を通す

㉗材料
布[ボーダーニット]……142cm幅40cm（身長75、80cm）、50cm（身長90cm）
ゴムテープ……2cm幅44、45、46cm

㉗作り方　㉔参照

㉖材料
布[スムースプリント]……96cm幅60cm（身長75、80cm）、70cm（身長90cm）
リブニット……44cm幅の筒状（広げて88cm幅）20cm
ゴムテープ……2cm幅44、45、46cm

㉖作り方
準備……ウエストと裾にMをかける
1. 左ウエストにゴムテープ通し口を残して脇を縫う（2枚一緒にM。縫い代は後ろ側に倒す）
2. ポケットをつける
3. 股下を縫う（2枚一緒にM。縫い代は後ろ側に倒す）
4. まちをつける（2枚一緒にM。縫い代は後ろ側に倒す）
5. ウエストを二つ折りにして縫い、ゴムテープ（44、45、46cm）を通す
6. 裾にリブニットをつける（3枚一緒にM。→p.81）

＊3つ並んだ数字は身長75cm、80cm、90cm用。1つは全サイズ共通
＊Mは「縫い代にロックミシンまたはジグザグミシンをかける」の略

㉔裁合せ図
＊指定以外の縫い代は1
＊㉖㉗は同様に縫う

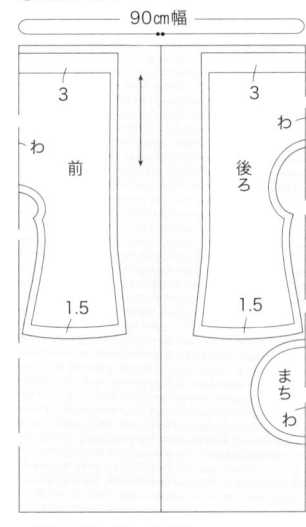

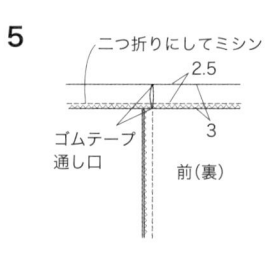

㉔㉗作り方順序

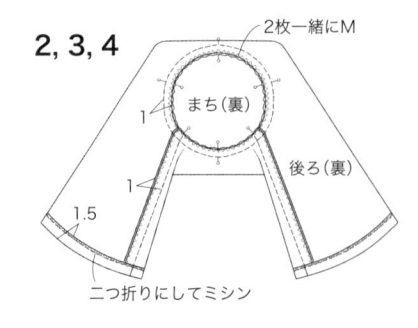

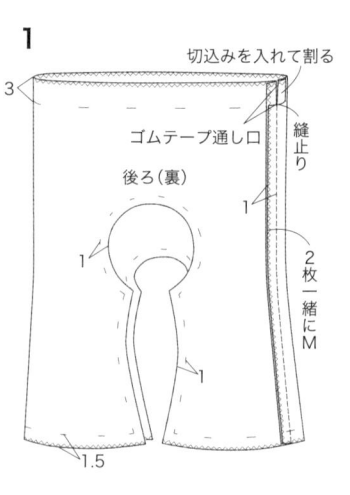

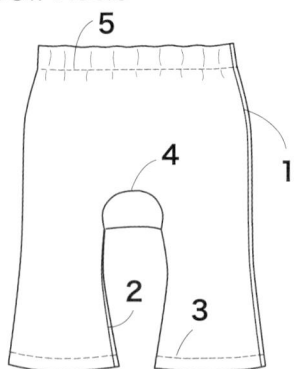

㉖作り方順序

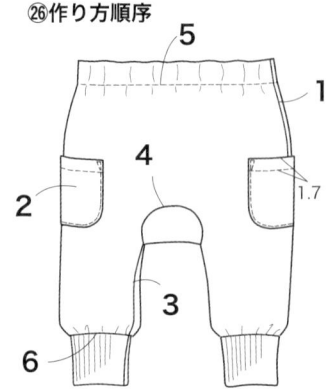

㉕ ㉘ スカッツ〈身長75～90㎝〉 p.16、17

㉕材料
布［リバーシブルニット］
……82cm幅90cm（身長75、80cm）、1m（身長90cm）
ゴムテープ……2cm幅44、45、46cm

㉕作り方
準備……ウエストと裾にMをかける
1. 後ろウエストにゴムテープ通し口を残して前後中心を縫う（2枚一緒にM。縫い代は左側に倒す）
2. 股下を縫う（2枚一緒にM。縫い代は後ろ側に倒す。→p.58）
3. 裾を二つ折りにして縫う（→p.58）
4. まちをつける（2枚一緒にM。縫い代はまち側に倒す。→p.58）
5. ウエストを二つ折りにして縫う
6. パンツのウエストにスカートをのせて縫いつける
7. ゴムテープ（44、45、46cm）を通す

㉘材料
布［ジャージー］……（パンツ）84cm幅70cm、（スカート）84cm幅50cm
ゴムテープ……2cm幅44、45、46cm

㉘作り方
1～4はp.58㉔参照
5～7は㉕参照

＊Mは「縫い代にロックミシンまたはジグザグミシンをかける」の略

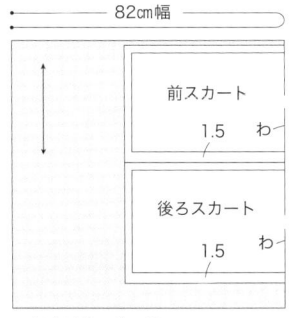

㉕裁合せ図
＊指定以外の縫い代は1
＊㉘も同様に裁つ

＊指定以外の縫い代は1
＊㉘はp.58参照

㉕作り方

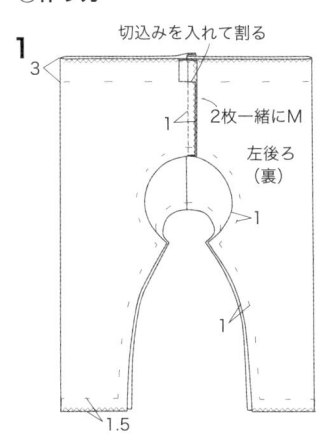

㉕作り方順序

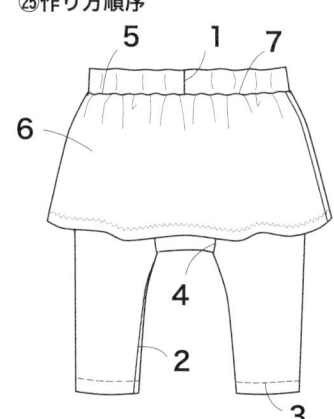

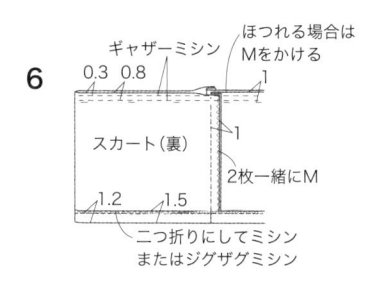

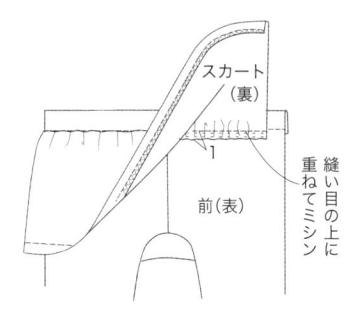

㉘作り方順序

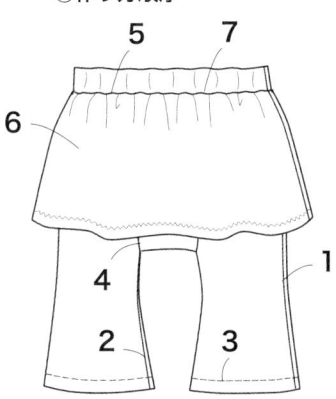

㉙ 産着〈身長50〜70cm〉p.18

㉙材料
布[てぬぐい]……33cm幅90cmを2枚
綿テープ……2.5cm幅1.1m
手縫い糸(細口。手縫いの場合)

㉙作り方
1. 前とおくみを折伏せ縫いで縫う
2. 肩を縫う
3. 前端と裾をアイロンで三つ折りにする
4. 脇を縫う
5. 前端と裾を縫う
6. 袖を作り、つける
7. 衿を作り、つける
8. 肩あげをする
9. 綿テープをつける

p.38参照

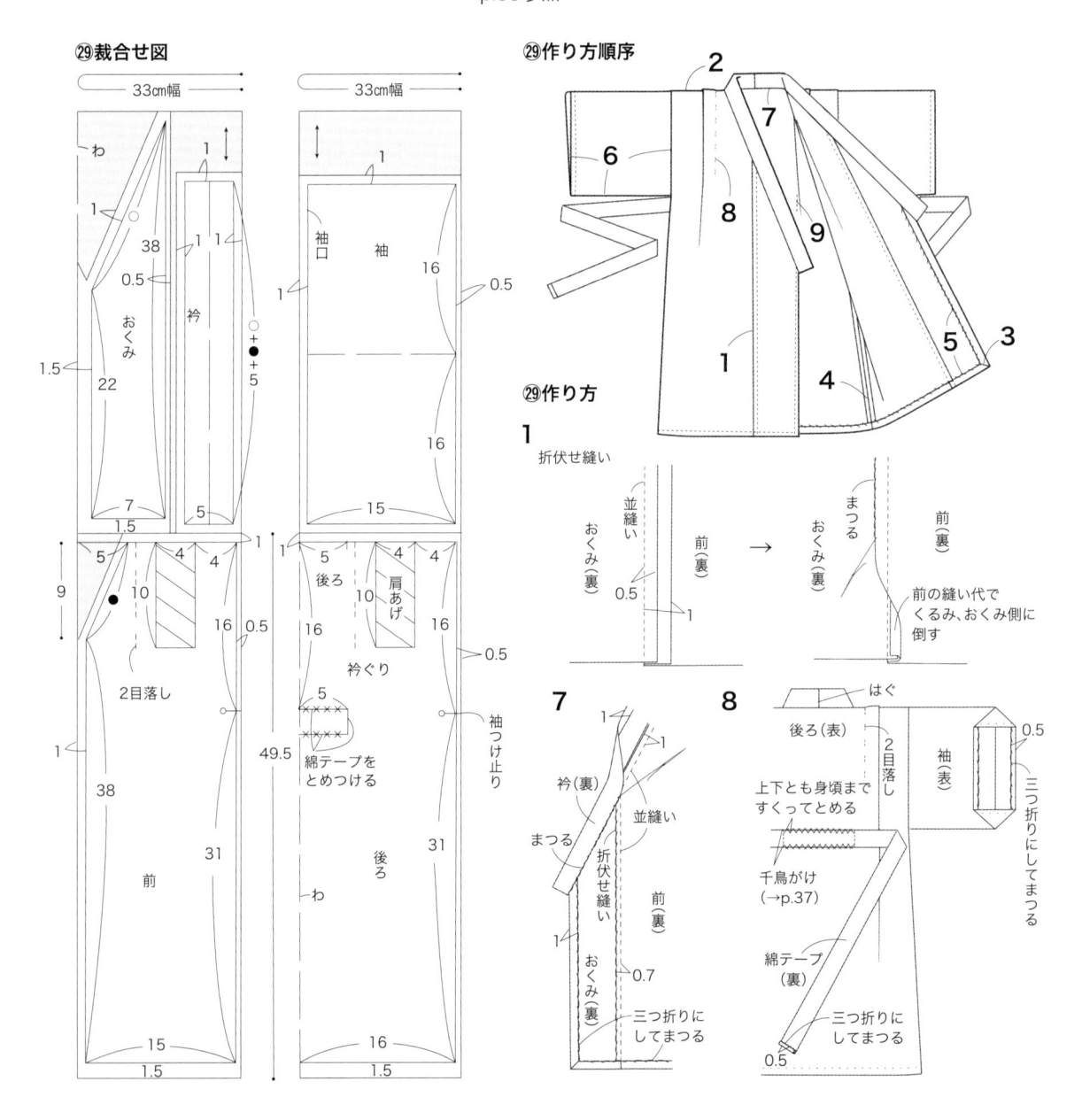

㉚ ㉛ じんべえ〈身長70～75㎝〉 p.19

㉚㉛材料
布[てぬぐい]……34㎝幅90㎝を2枚
バイアステープ……12.7mm幅90㎝（パンツ用）
ゴムテープ……8コール1.3m
手縫い糸（手縫いの場合）

㉚㉛作り方
p.38、39参照

㉚㉛裁合せ図

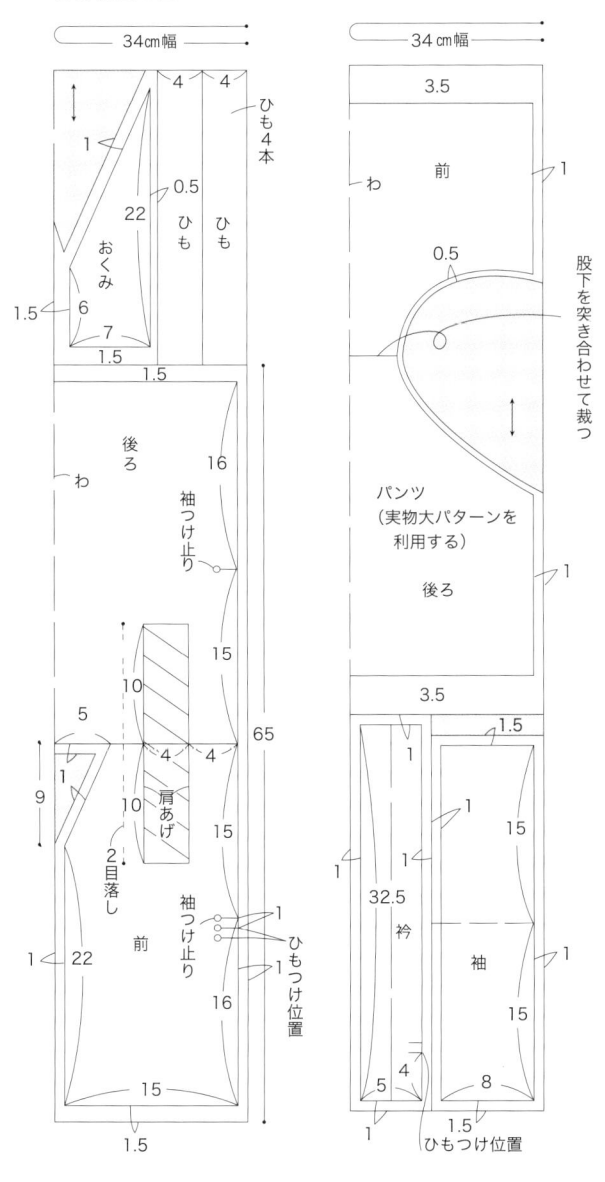

㉚作り方順序

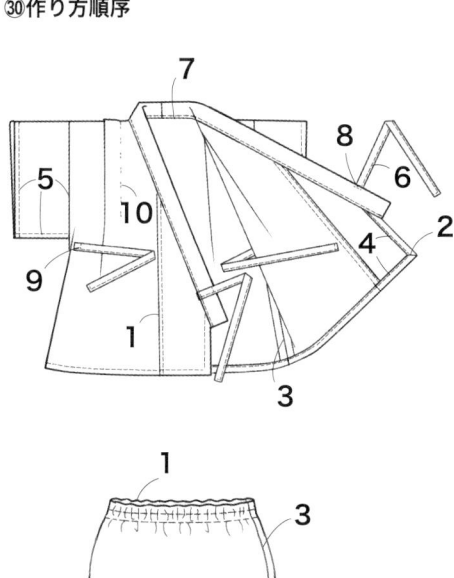

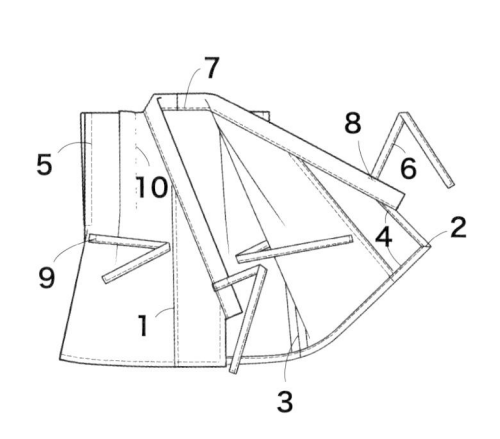

32 33 ゆかた〈身長80〜90cm〉 p.20、21

32 33 材料
布[綿プリント]……110cm幅 1.7m(身長80cm)、
1.9m(身長90cm)
　＊柄に方向性がある場合は肩ではぐ
　　(縫い代は割る)

32 33 作り方
準備……袖の周囲にロックミシンまたは
　　　　ジグザグミシンをかける

1. 後ろ中心を折伏せ縫いで縫う
2. 前端と裾を三つ折りにする(→p.38)
3. 身八つ口から下の脇を縫う(縫い代は割る)
4. 前端と裾を縫う
5. 袖を作り、つける
6. 袖の振りと身八つ口の縫い代をミシンで押さえる
7. ひもを作り、つける
8. 衿を作り、つける(→p.38)
9. ひもに押えミシンをかける(→p.39)
10. 肩あげをする(→p.39)
11. 腰あげをする(2目落とし。→p.39)

32 33 裁合せ図

32 33 製図 ＊2つ並んだ数字は身長80cm、90cm用。1つは全サイズ共通

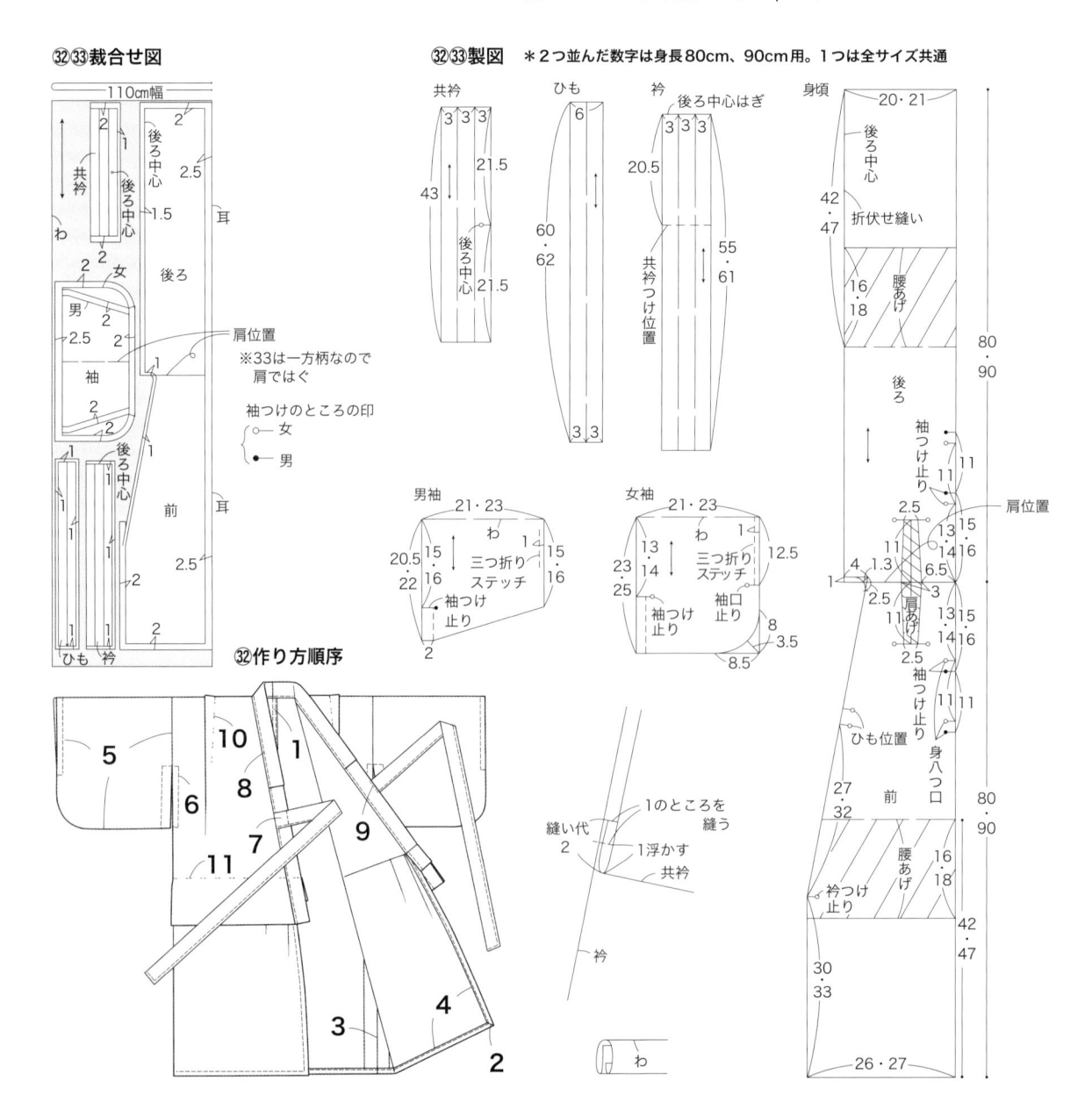

32 作り方順序

㉜㉝作り方

1
- 後ろ(裏)
- 1.5
- 0.7にカット
- 縫い代をくるむ
- 0.8
- 0.1

3, 4
- 袖つけ止り
- 身八つ口
- 2.5
- 1
- 0.1

5
- 1
- 三つ折りにしておく
- 女袖(裏)
- 袖つけ止り
- 二つ折りにしておく
- 2.5
- 2
- 袖つけ止り
- 2枚一緒にぐし縫い
- 2.5
- 袖(裏)
- 前(裏)
- カーブに合わせて縮める
- 3回ミシン
- 2枚一緒に出来上りに折る
- 袖(裏)
- 3回ミシン
- 1
- 3回ミシン

7
- 1
- ひも(裏)
- 1
- 2枚合わせてミシン
- 0.2
- ひも(表)
- 横の縫い代をくるんで折り込む

8
- 後ろ中心
- 表衿裏衿(表)
- 2
- 共衿(裏)
- 1
- 共衿(表)
- 2
- 1浮かす
- 衿(表)
- ずれないようにしつけをする
- 1
- 表衿(裏)
- 共衿(表)
- 裏衿(表)
- 三つ折り
- ひも(表)
- 1
- 表衿(裏)
- 前(表)
- 衿つけ止り
- 共衿(表)
- 衿(表)
- 前(表)
- 裏共衿(表)
- 縫い目にかぶせてしつけ
- 表衿(表)
- 前(裏)
- 1

9
- 0.1
- 表衿(表)
- 表側からミシン
- 押えミシン
- 腰あげ
- 端をそろえる
- 幅のあまりをタックにする
- 前(表)

㉝作り方順序

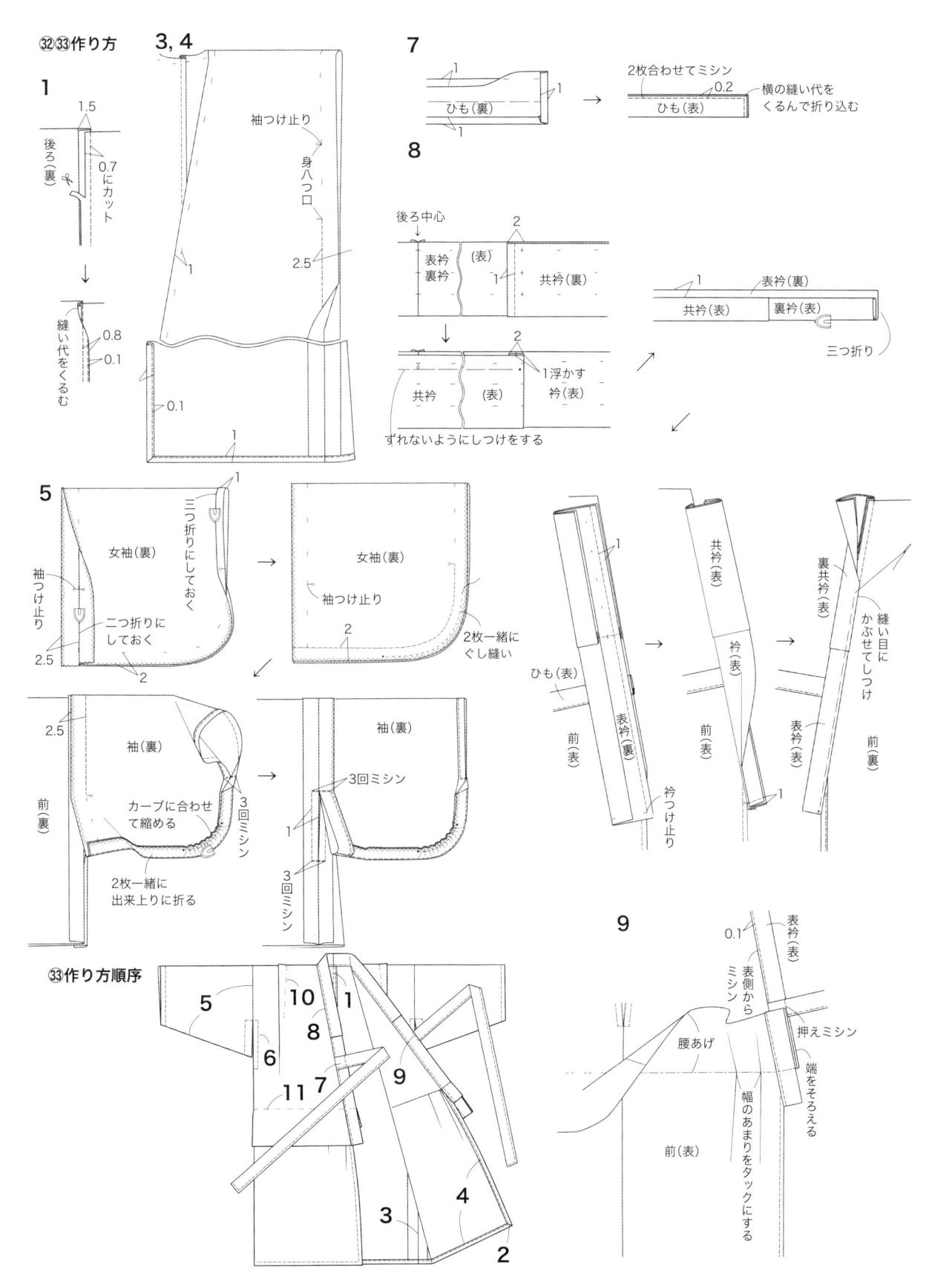

5, 10, 1, 8, 6, 11, 7, 9, 3, 4, 2

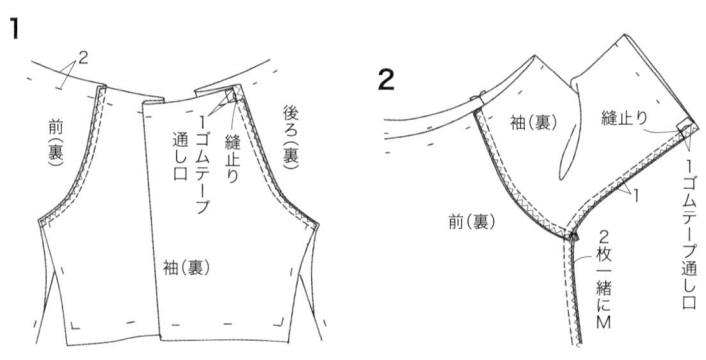

34 スモック風ブラウス〈身長80～90cm〉 p.22

34材料
布[綿ローン・ボーダー]……110cm幅1.1m
　＊柄に方向性がある場合は一方方向に裁つ
ゴムテープ……8コール80cm

34作り方
1. 後ろ側衿ぐりにゴムテープ通し口を残して前後の身頃と袖を縫い合わせる(2枚一緒にM。縫い代は身頃側に倒す)
2. 袖口にゴムテープ通し口を残して袖下と脇を続けて縫う(2枚一緒にM。縫い代は後ろ側に倒す)
3. 衿ぐりを三つ折りにして縫い、ゴムテープ(36cm)を通す
4. 袖口を三つ折りにして縫い、ゴムテープ(15cm)を通す
5. 裾を三つ折りにして縫う

＊Mは「縫い代にロックミシンまたはジグザグミシンをかける」の略

34裁合せ図

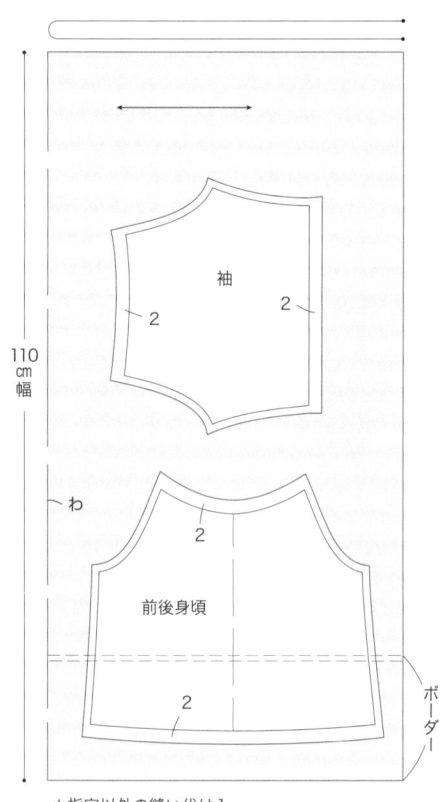

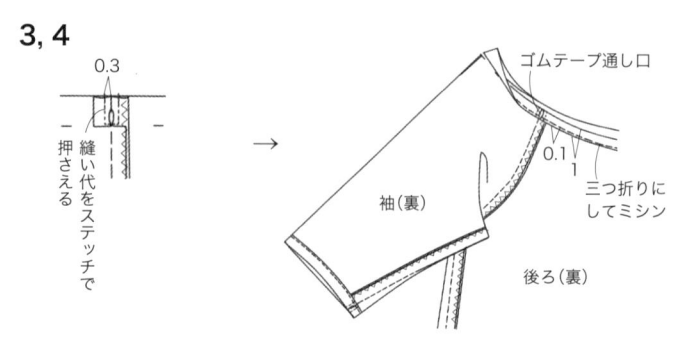

34作り方

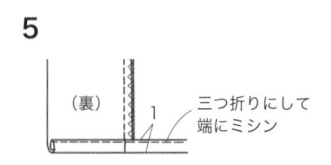

34作り方順序

＊指定以外の縫い代は1

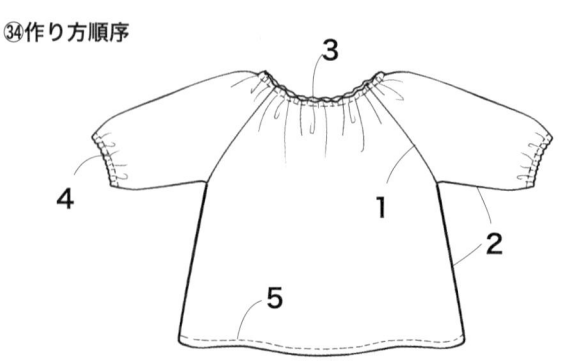

35 スモック風ブラウス〈身長75～90cm〉 p.22

㉟材料
布[スムースプリント]……92cm幅1m
　＊柄に方向性がある場合は一方方向に裁つ
ゴムテープ……8コール80cm

㉟作り方
準備……袖口、裾にMをかける
1　肩を縫う（2枚一緒にM。縫い代は後ろ側に倒す）
2　袖口を二つ折りにして縫う。ゴムテープ（18cm）を通して両端を仮どめする
3　脇を縫う（2枚一緒にM。縫い代は後ろ側に倒す）
4　裾を二つ折りにして縫う
5　衿ぐりをテープ（共布）で始末する。ゴムテープ（36cm）を通す
＊Mは「縫い代にロックミシンまたはジグザグミシンをかける」の略

㉟裁合せ図

㉟作り方

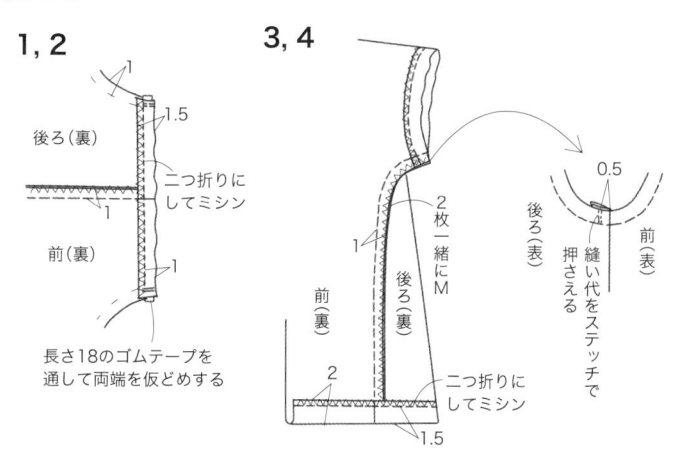

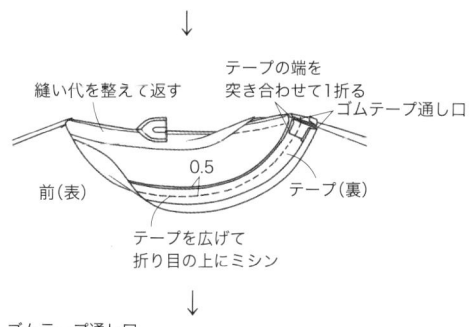

㉟作り方順序

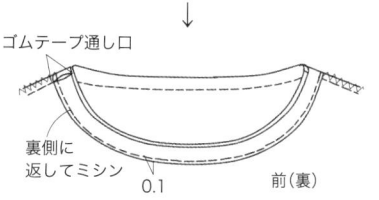

＊指定以外の縫い代は1

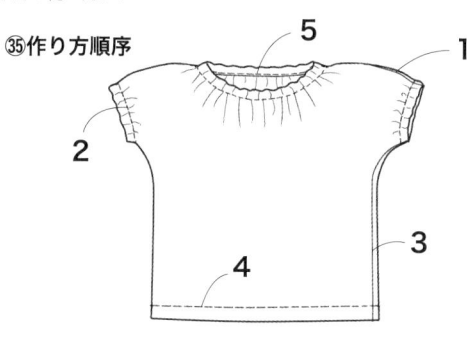

36 キャミソール、パンツ〈身長70〜90cm〉 p.23

36材料
布[綿プリント]……110cm幅90cm
ゴムテープ……8コール1.6、1.6、1.7、1.8m

36作り方(キャミソール)
1. 前の胸もとを三つ折りにして縫い、間にゴムテープ通しのステッチをかける。ゴムテープ(17cm)を通して両端を仮どめする
2. 前の袖ぐりをバイアステープ(共布)でくるみ、続けて結びひもを縫う
3. 後ろの背中を三つ折りにして縫う。ゴムテープを通して両端を仮どめする
4. 脇を縫う(2枚一緒にM。縫い代は後ろ側に倒す)。ゴムテープの位置の縫い代をステッチで押さえる
5. 裾を三つ折りにして縫う

＊Mは「縫い代にロックミシンまたはジグザグミシンをかける」の略
パンツの作り方はp.40、71参照

36裁合せ図

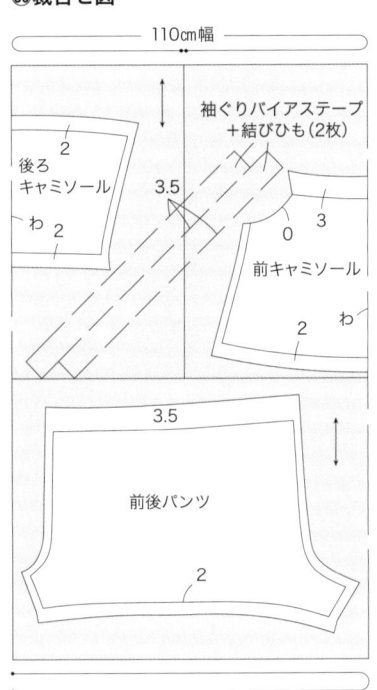

＊指定以外の縫い代は1

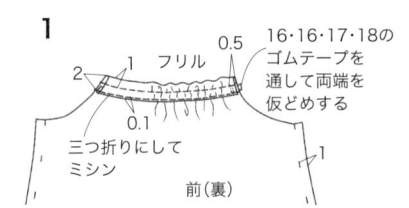

36作り方

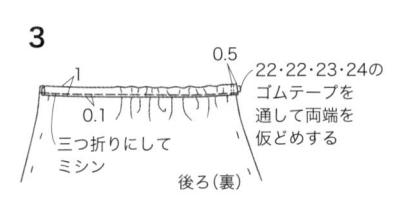

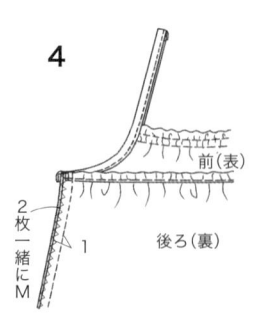

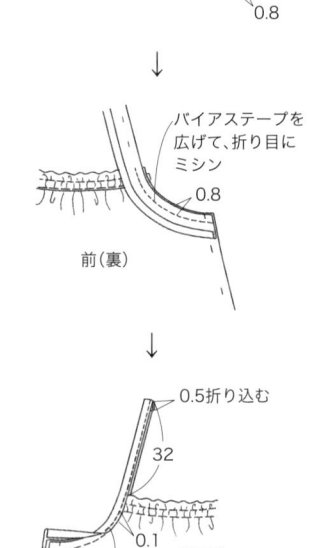

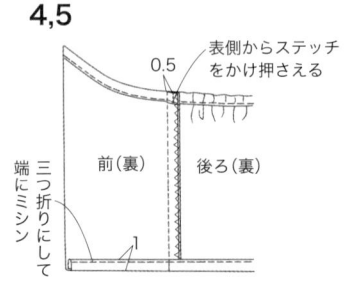

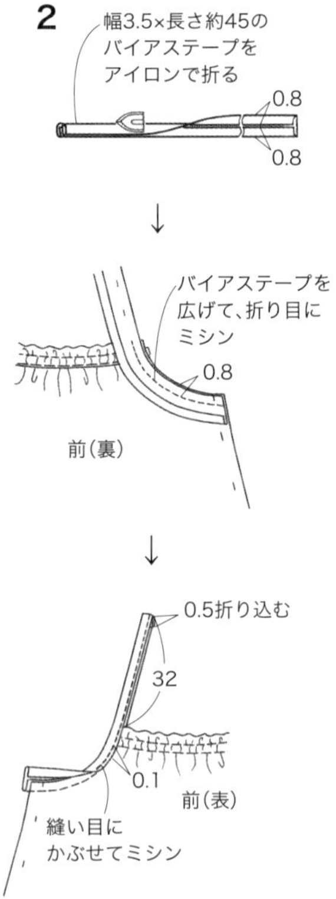

36作り方順序

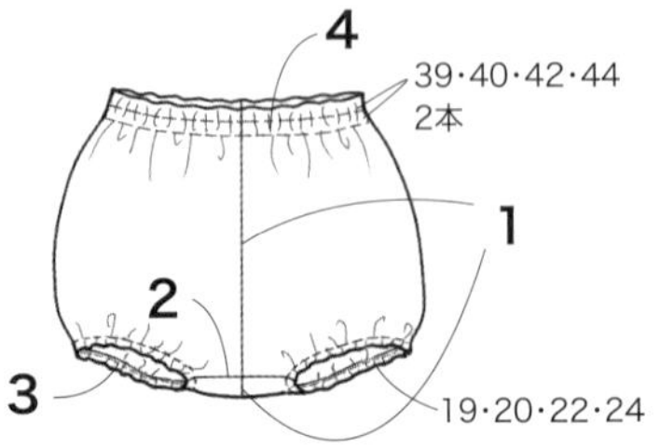

37 キャミソール〈身長70〜90cm〉 p.23

37材料
布[綿チェック]……110cm幅1m
ゴムテープ……
　（肩ひも）8コール 40、40、44、48cm
　（胸回り）6コール 184、184、192、200cm

37作り方
1. ゴムテープ通し口を残して脇を縫う
   (2枚一緒にM。縫い代は後ろ側に倒す)
2. 裾を三つ折りにして縫う
3. 胸もとの縫い代の端を三つ折りにして縫い、ゴムテープ通しのミシンをかける
4. 肩ひもを縫い返し、中心にゴムテープ通しのミシンをかける。ゴムテープを通して両端を仮どめし、M
5. 肩ひもをつける
6. ゴムテープを4本通す(46、46、48、50cm)

＊Mは「縫い代にロックミシンまたはジグザグミシンをかける」の略

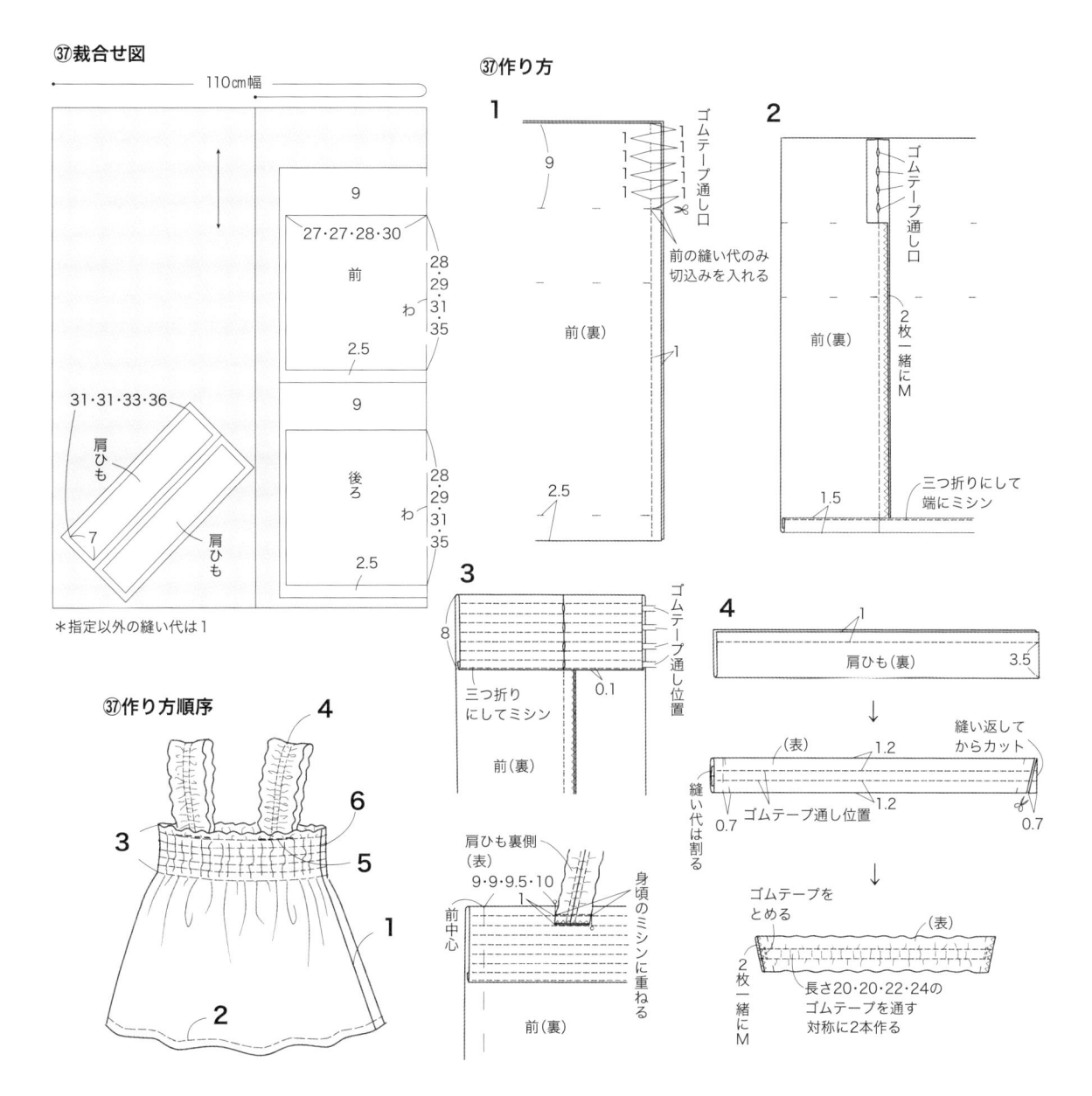

38 39 ブラウス〈身長75〜90cm〉 p.24

38材料
布[スムースプリント]……92cm幅1m
　＊柄に方向性がある場合は一方方向に裁つ
接着芯……90cm幅20cm
ソフトマジックテープ……2.5cm幅6cm

38作り方
39 参照

39材料
布[スムースプリント]……92cm幅1m
接着芯……90cm幅20cm
ソフトマジックテープ……2.5cm幅6cm

39作り方
準備……衿ぐり見返しに接着芯をはる。
　　　　　身頃の肩、袖口、裾、見返しの奥にMをかける
1　前後の身頃と見返しを中表に合わせてあき止りまで縫う
2　身頃と見返しのあき止りから袖口までをそれぞれ縫う
　（縫い代は割る）
3　見返しを表に返し、見返しの奥を身頃になじませてミシンで押さえる
4　袖口を二つ折りにして縫う
5　脇を縫う（2枚一緒にM。縫い代は後ろ側に倒す）
6　裾を二つ折りにして縫う
7　肩にマジックテープを縫いつける
＊Mは「縫い代にロックミシンまたはジグザグミシンをかける」の略

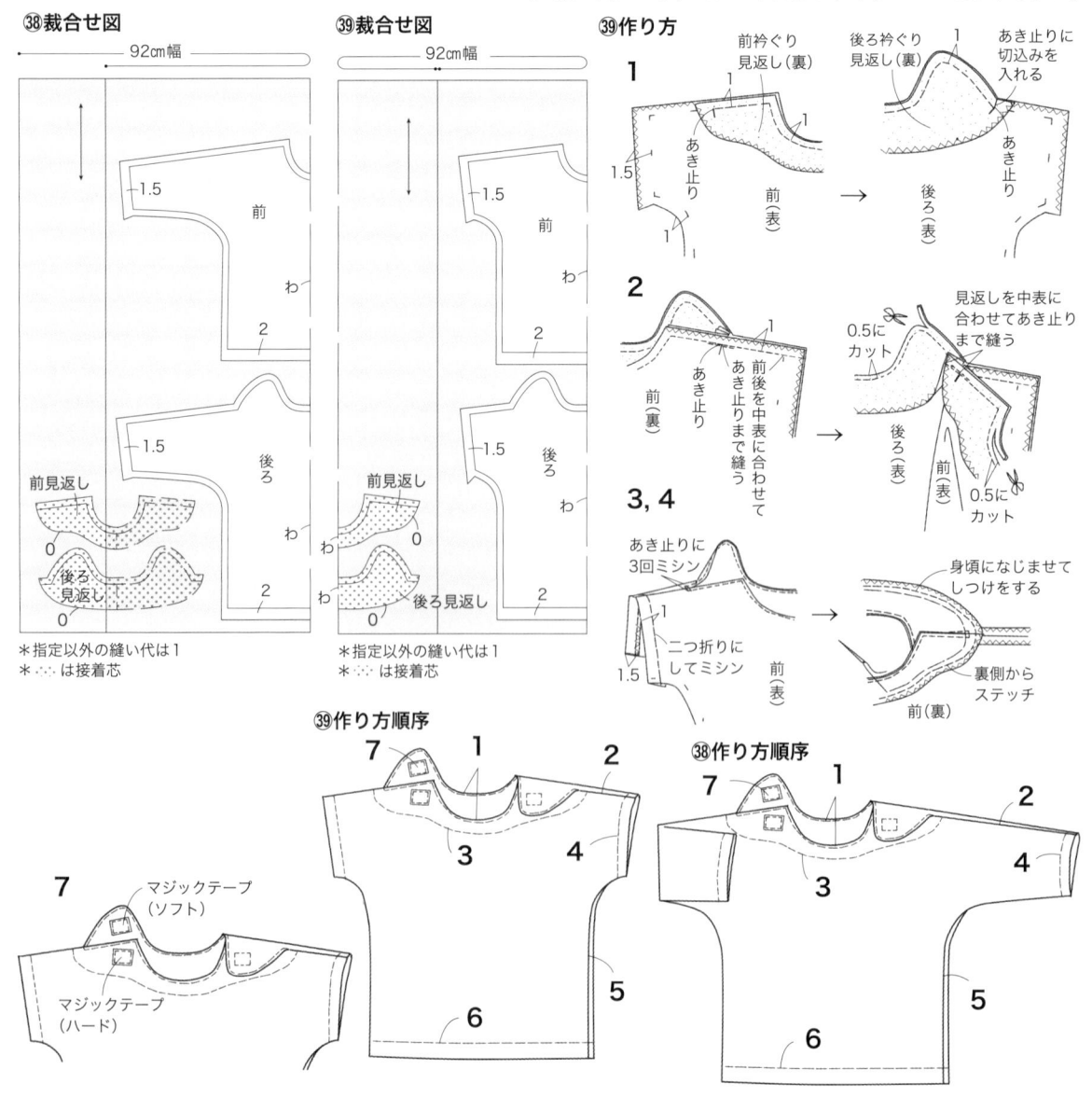

㊵ ジャケット〈身長75〜90㎝〉 p.25

㊵材料
布[ジャージー]……100cm幅70cm
接着芯……10×40cm
ソフトマジックテープ……2.5cm幅9cm

㊵作り方
準備……前見返しに接着芯をはる。
　　　　袖口、裾にMをかける
1　肩を縫う(2枚一緒にM。縫い代は後ろ側に倒す)
2　袖口を二つ折りにして縫う
3　脇を縫う(2枚一緒にM。縫い代は後ろ側に倒す)
4　前見返しを三つ折りにして裾を縫い返し、奥をミシンで押さえる
5　裾を二つ折りにして縫う
6　衿ぐりをテープ(共布)でくるむ
7　前中心にマジックテープを縫いつける
＊Mは「縫い代にロックミシンまたはジグザグミシンをかける」の略

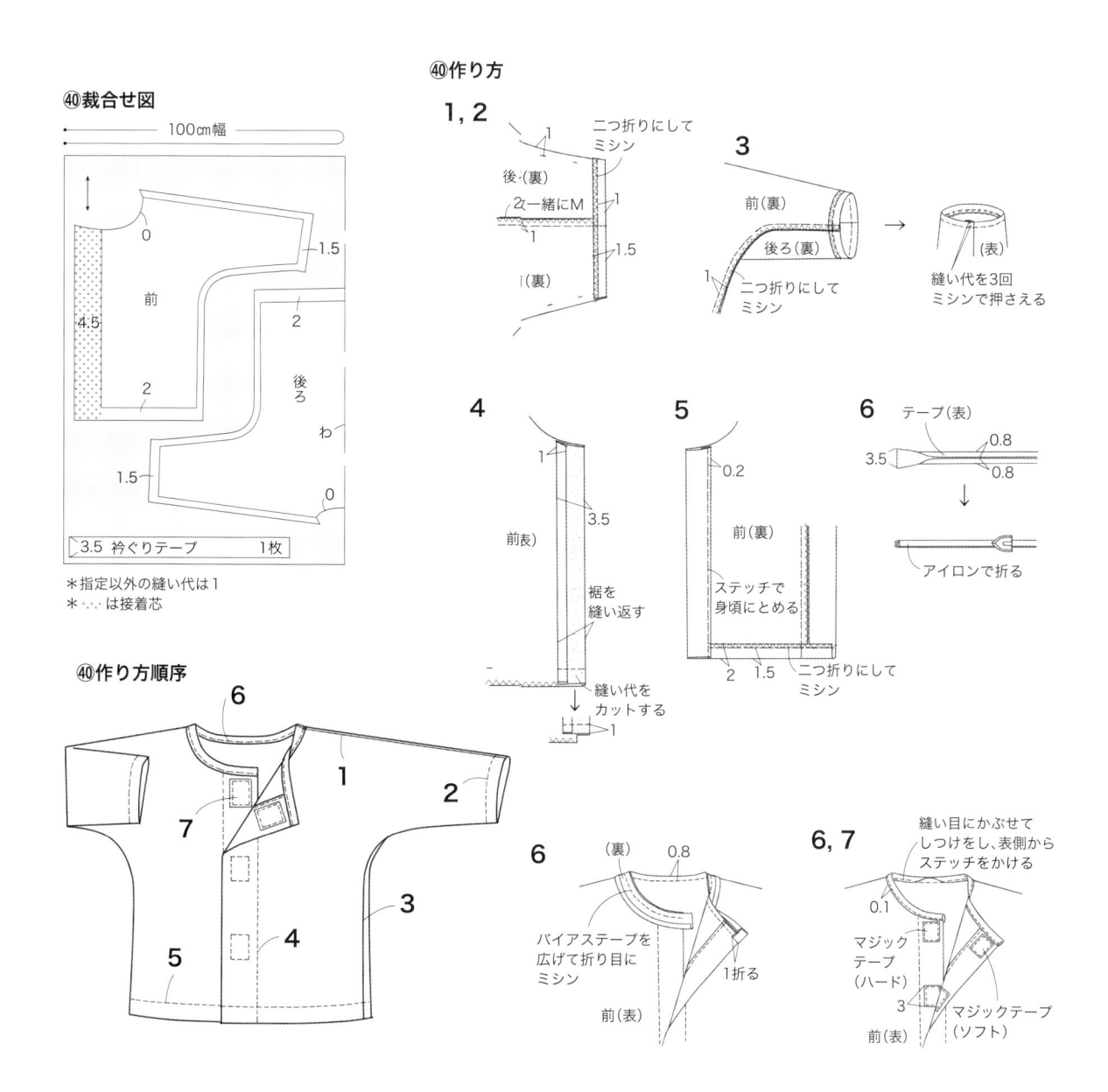

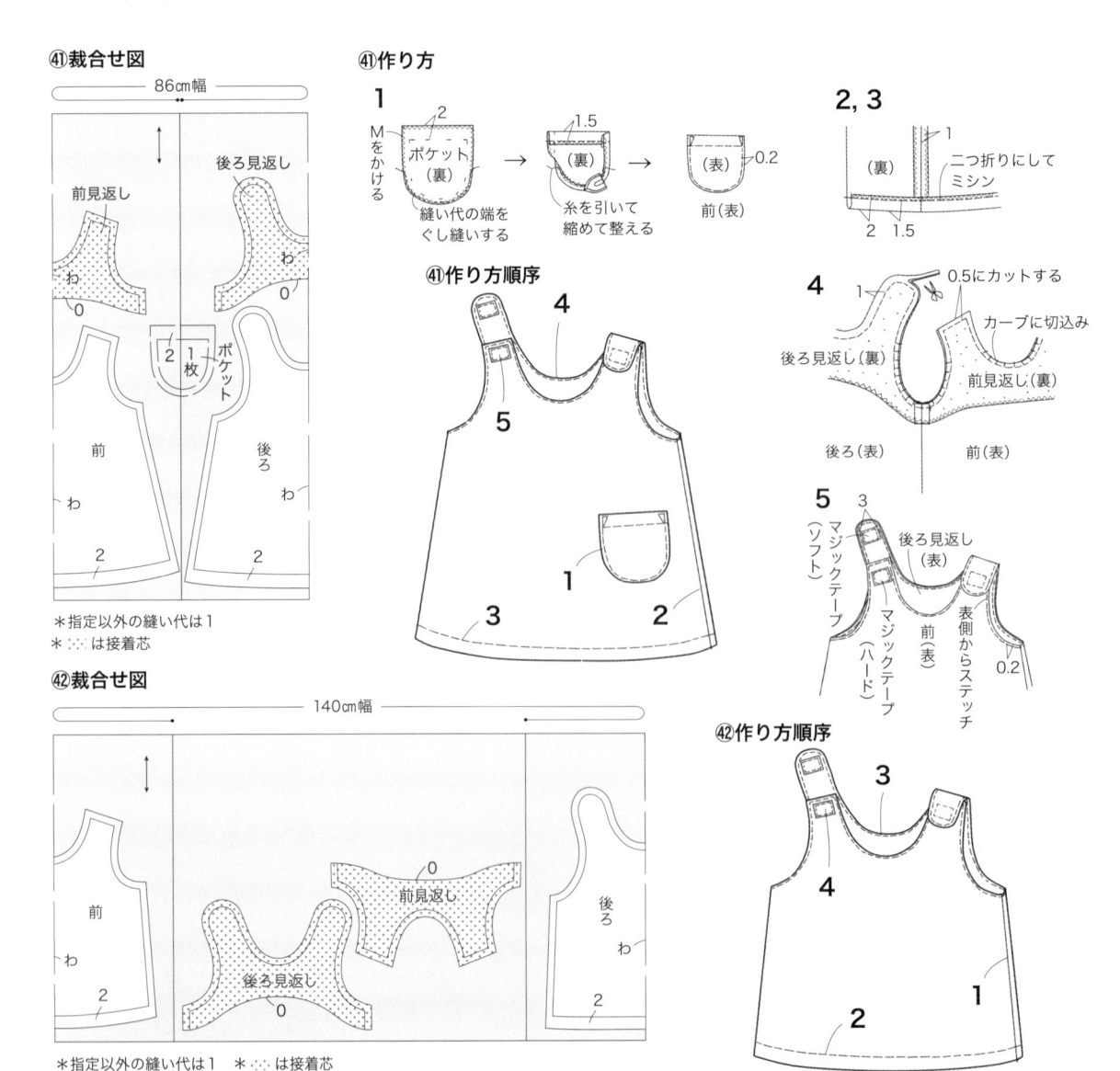

41 ジャンパースカート　42 ベスト〈身長80〜90cm〉 p.25

㊶材料
布[ジャージー]……86cm幅80cm
接着芯(見返し)……90cm幅30cm
ソフトマジックテープ……2.5cm幅6cm

㊶作り方
準備……見返しに接着芯をはる。
　　　　身頃の脇、裾、見返しの奥、ポケットの周囲にMをかける
1　ポケットをつける
2　身頃と見返しの脇を縫う(縫い代は割る)
3　裾を二つ折りにして縫う
4　身頃と見返しを中表に合わせて縫い返す
5　肩にマジックテープを縫いつける
＊Mは「縫い代にロックミシンまたはジグザグミシンをかける」の略

㊷材料
布[ジャージー]……140cm幅50cm
接着芯……90cm幅30cm
ソフトマジックテープ……2.5cm幅6cm

㊷作り方
㊶参照

㊶裁合せ図
＊指定以外の縫い代は1
＊ :::: は接着芯

㊷裁合せ図
＊指定以外の縫い代は1　＊ :::: は接着芯

㊸㊹㊺ パンツ 〈身長70～90㎝〉 p.26、27

㊸材料
布[綿チェック]……112cm幅40cm
ギャザーレース……5cm幅70cm
ゴムテープ……8コール116、120、128、136cm

㊸作り方
1. 左脇のウエストにゴムテープ通し口を残して脇を縫う(2枚一緒にM。縫い代は後ろ側に倒す)
2. レースをはぎ合わせる(縫い代は割る)
   切替えにレースをはさんで縫い合わせる(2枚一緒にM。縫い代は下側に倒す)
   レースを押さえるようにしてステッチをかける
3. 股下を縫う (2枚一緒にM。縫い代は後ろ側に倒す)
4. 裾口をバイアステープ(共布)で始末する
5. ウエストを三つ折りにして縫い、間にゴムテープ通しのステッチをかける。ウエスト(39、40、42、44cmを2本)と裾口(19、20、22、24cm)にゴムテープを通す

㊹材料
布[綿ローン水玉]……110cm幅70cm
ゴムテープ……8コール116、120、128、136cm

㊹作り方
㊸参照

㊺材料
布[リバティプリントなど]……110cm幅50cm
ゴムテープ……8コール116、120、128、136cm

㊺作り方
1. 後ろ中心のウエストにゴムテープ通し口を残して股上を縫う(2枚一緒にM。縫い代は右側に倒す)
2. 裾口にゴムテープ通し口を残して股下を縫う(2枚一緒にM。縫い代は後ろ側に倒す)
3. 裾口を三つ折りにして縫う
4. ウエストを三つ折りにして縫い、間にゴムテープ通しのステッチをかける
   ウエストと裾口にゴムテープを通す

＊Mは「縫い代にロックミシンまたはジグザグミシンをかける」の略
＊p.40参照

㊸裁合せ図
＊指定以外の縫い代は1

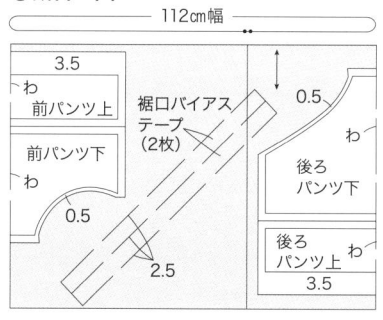

㊹裁合せ図
＊指定以外の縫い代は1
＊㊺の裁合せ図はp.66㊱を参照

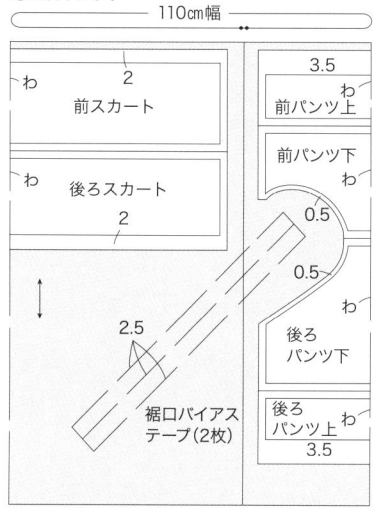

㊸作り方

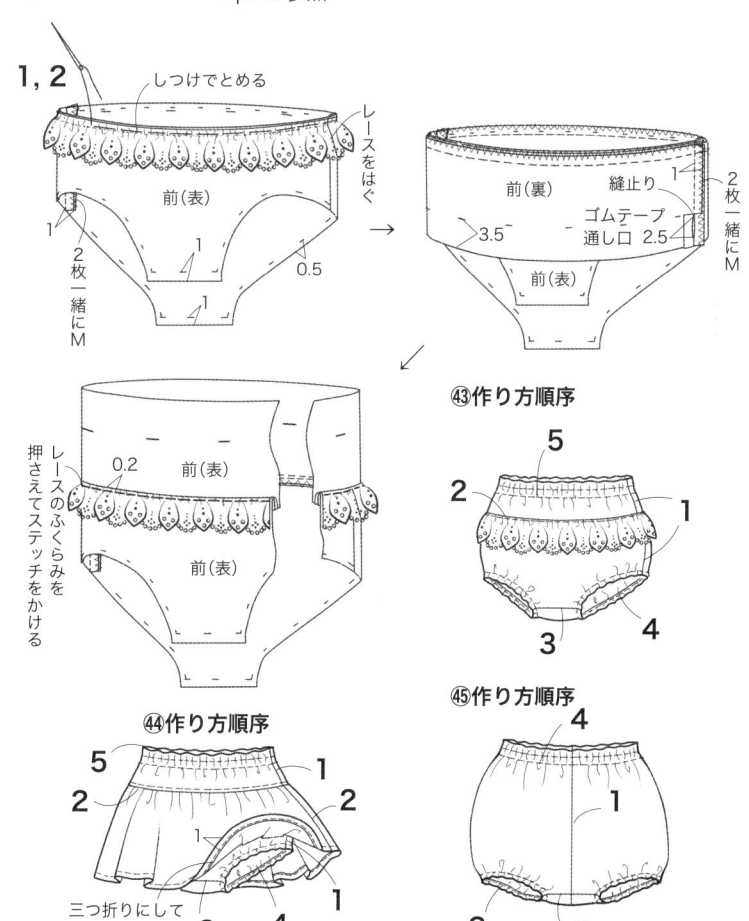

㊻ ㊼ パンツ〈身長75〜90㎝〉p.27

㊻材料
布[スラブコットン]……106cm幅70m
ゴムテープ……8コール80、84、88cm

㊻作り方
1. 左脇のウエストにゴムテープ通し口を残して脇を縫う(2枚一緒にM。縫い代は後ろ側に倒す)
2. ポケットをつける
3. 股下を縫う(2枚一緒にM。縫い代は後ろ側に倒す)
4. 裾を三つ折りにして縫う
5. 股上を縫う(2枚一緒にM。縫い代は左側に倒す)
6. ウエストを三つ折りにして縫い、間にゴムテープ通しのステッチをかける
7. ベルト通しをつける(→p.74)。ウエスト(40、42、44cmを2本)にゴムテープを通す

㊼材料
布[プチモチーフプリント]……110cm幅40cm
ゴムテープ……8コール90cm

㊼作り方
1. 左脇のウエストにゴムテープ通し口を残して脇を縫う(2枚一緒にM。縫い代は後ろ側に倒す)
2. 股下を縫う(2枚一緒にM。縫い代は後ろ側に倒す)
3. 裾を三つ折りにして縫う
4. 股上を縫う(2枚一緒にM。縫い代は右側に倒す)
5. ウエストを三つ折りにし縫い、間にゴムテープ通しのステッチをかける
   ウエスト(40、42、44cmを2本)にゴムテープを通す

＊Mは「縫い代にロックミシンまたはジグザグミシンをかける」の略

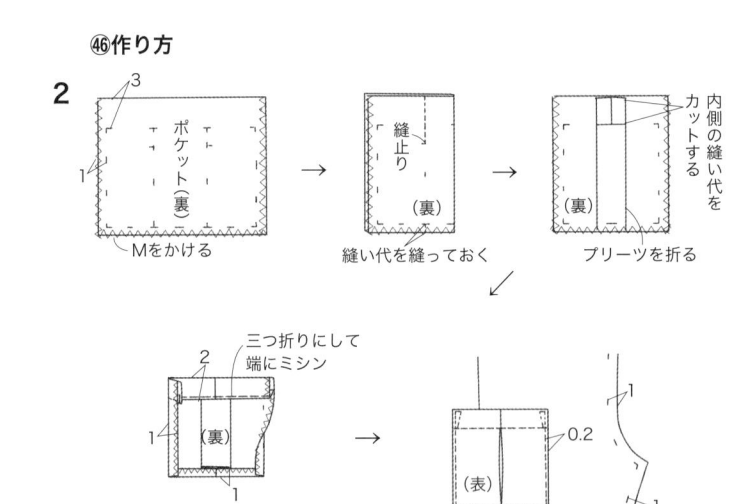

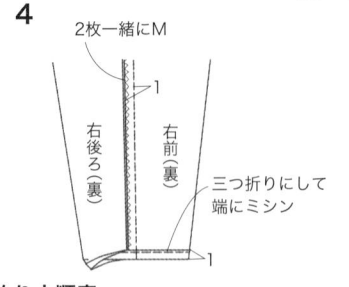

㊻裁合せ図
＊指定以外の縫い代は1

㊼裁合せ図
＊指定以外の縫い代は1

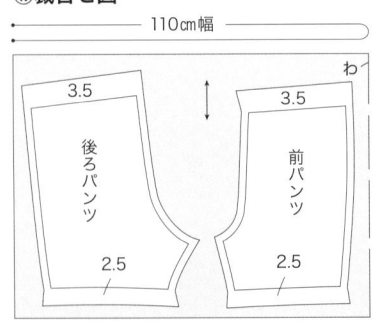

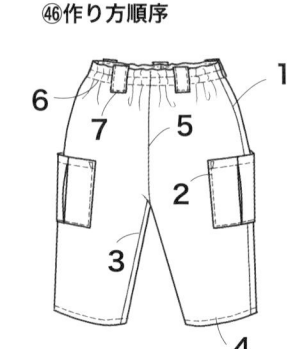

48 シャツ〈身長80〜90cm〉 p.28

48 材料
布[綿ストライプ]……112cm幅60cm
布[綿無地]……110cm幅10cm
接着芯……90cm幅10cm
ボタン……直径1cmを5個、直径0.7cmを2個
　（衿の飾りボタン）

48 作り方
準備……表衿に接着芯をはる。
　　　　前身頃のスリット縫い代にMをかける
1　ポケットをつける
2　肩を縫う
　（2枚一緒にM。縫い代は後ろ側に倒す）
3　袖をつける
　（2枚一緒にM。縫い代は身頃側に倒す）
4　スリットを残して袖下と脇を続けて縫う
　（2枚一緒にM。縫い代は後ろ側に倒す）
5　袖口を三つ折りにして縫う
6　前見返しを完全三つ折りにして縫う
7　裾を三つ折りにして縫う
8　スリットにミシンをかける
9　表衿と裏衿を縫い返す
10　衿をつける
11　前中心にボタンホールを作り、ボタンをつける。
　　衿に飾りボタンをつける

＊Mは「縫い代にロックミシンまたはジグザグミシンをかける」の略

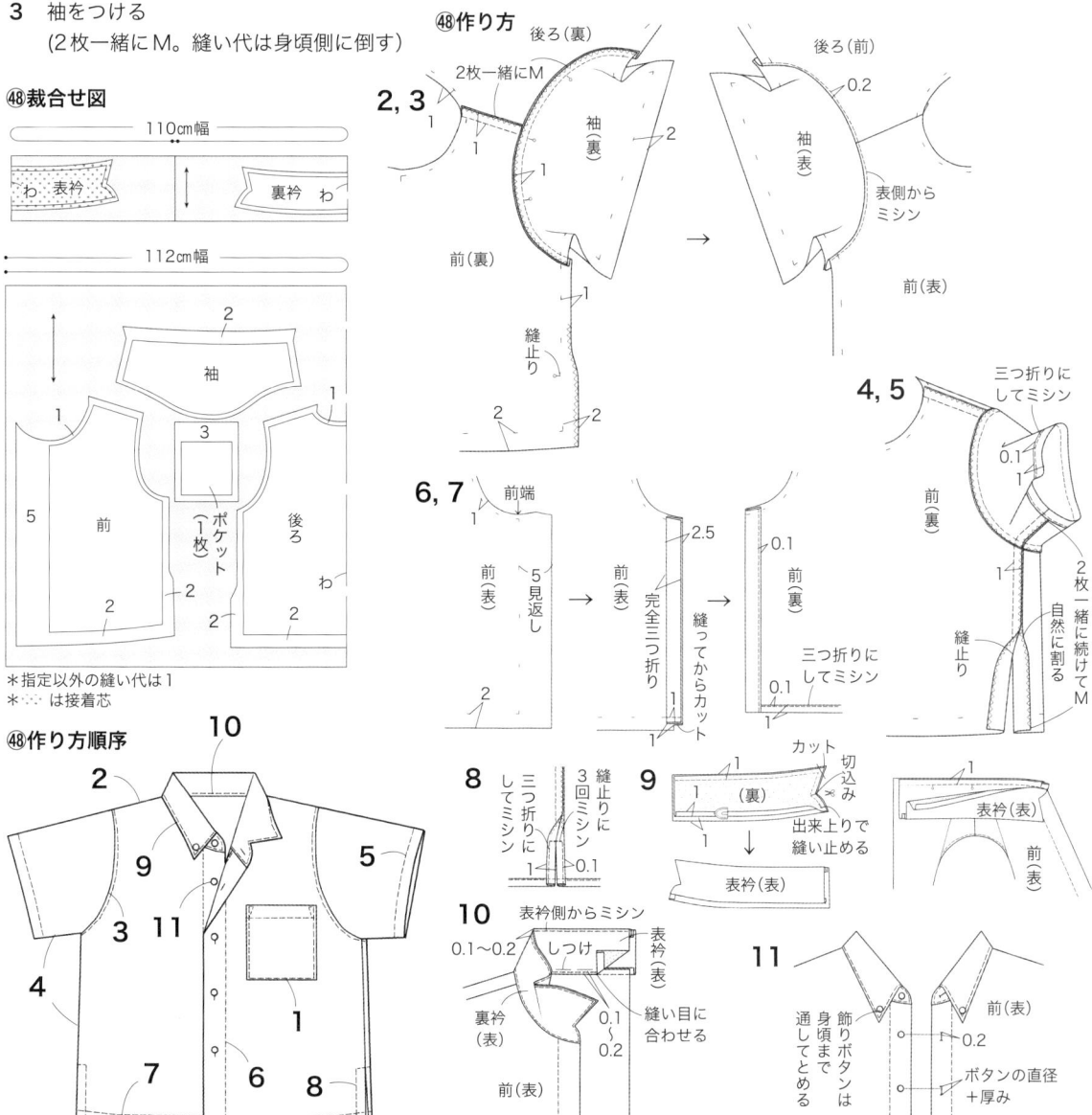

49 パンツ〈身長75〜90cm〉 p.28

49 材料
布[フレンチリリネン]……108cm幅50cm
ゴムテープ……8コール80、84、88cm

49 作り方
1 ポケットをつける
2 左脇のウエストにゴムテープ通し口を残して脇を縫う
  (2枚一緒にM。縫い代は後ろ側に倒す)
3 股下を縫う(2枚一緒にM。縫い代は後ろ側に倒す
4 裾を三つ折りにして縫う
5 股上を縫う(2枚一緒にM。縫い代は左側に倒す)
6 ウエストを三つ折りにして縫い、間にゴムテープ通しの
  ステッチをかける
7 ベルト通しをつける
  ウエスト(40、42、44cmを2本)にゴムテープを通す
＊Mは「縫い代にロックミシンまたはジグザグミシンをかける」の略

49 裁合せ図
※指定以外の縫い代は1

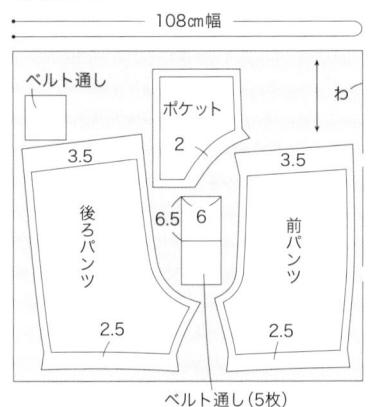

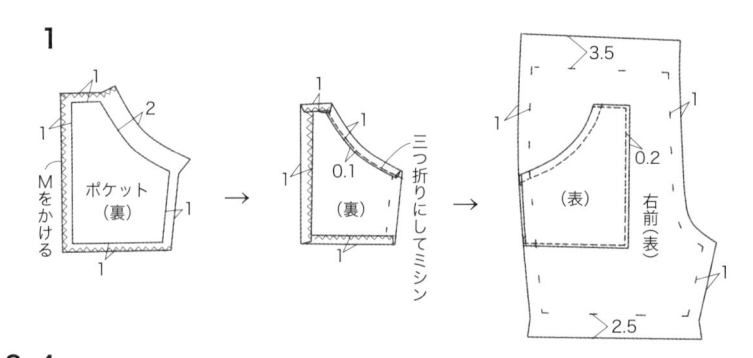

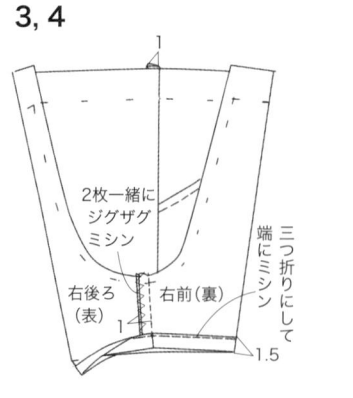

49 作り方順序

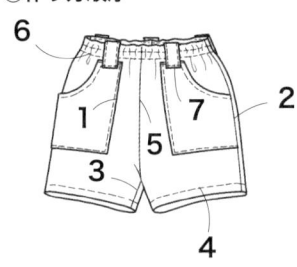

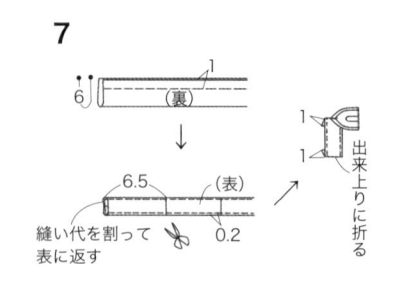

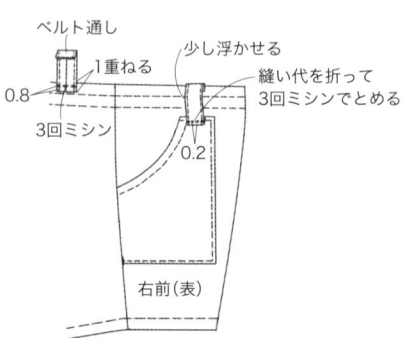

50 ワンピース〈身長80〜90cm〉 p.29

50 材料
布[綿ストライプ]……110cm幅 1.1m
ゴムテープ……8コール 70cm
25番刺繍糸

50 作り方
1 ポケットをつける
2 前身頃の衿ぐりを三つ折りにして縫う
3 スモッキングをする
4 後ろ身頃と袖を縫い合わせる
  (2枚一緒にM。縫い代は身頃側に倒す)
5 後ろ身頃と袖の衿ぐりを三つ折りにして縫う
6 後ろ身頃と袖の衿ぐりにゴムテープ通しのバイアステープ(共布)を縫いつける
  ゴムテープ(30cm)を通して両端を仮どめする
7 前身頃と袖を縫い合わせる
  (2枚一緒にM。縫い代は身頃側に倒す)
8 袖口にゴムテープ通し口を残して袖下と脇を続けて縫う
  (2枚一緒にM。縫い代は後ろ側に倒す)
9 袖口を三つ折りにして縫い、ゴムテープ(18cm)を通す
10 裾を三つ折りにして縫う
＊Mは「縫い代にロックミシンまたはジグザグミシンをかける」の略

50 裁合せ図

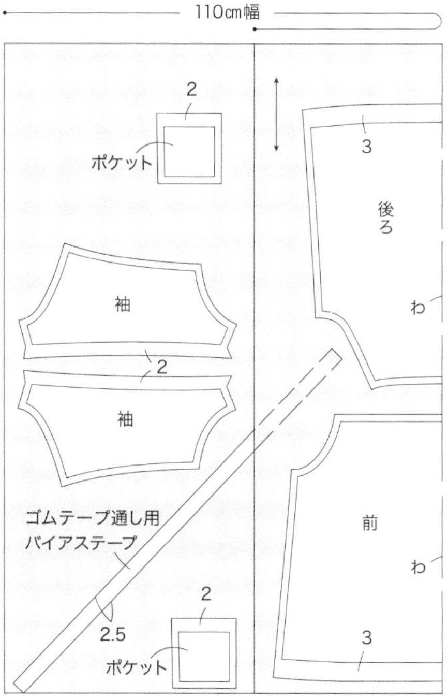

50 作り方順序

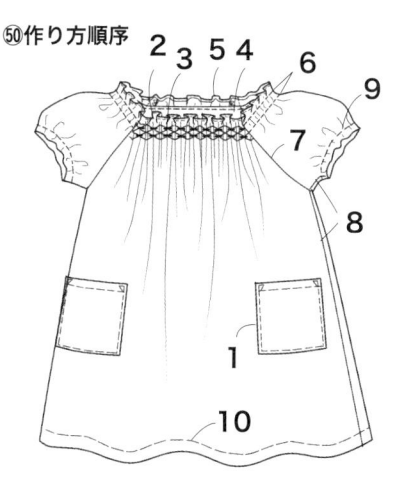

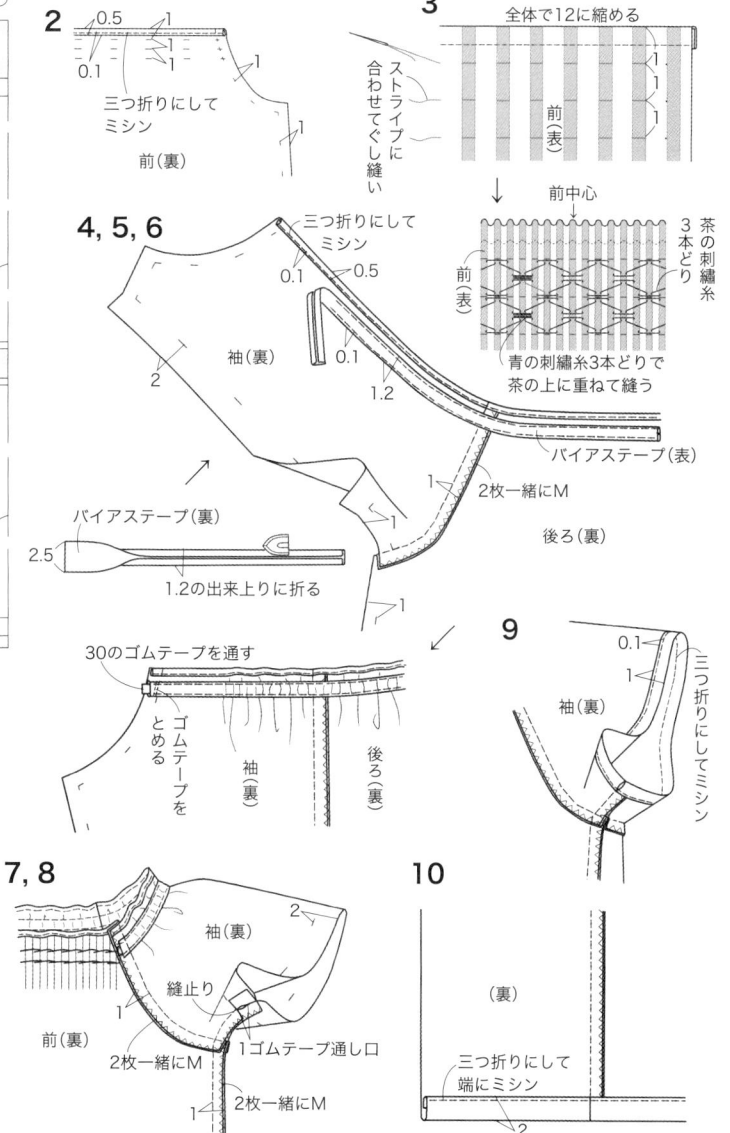

51 ケープ 〈身長80〜90㎝〉 p.30

51材料
布[フェークファー]……142cm幅30cm
裏布……96cm幅50cm
くるみボタン……直径2.8cmを1個
スナップ……直径1.2cmを2組み

51作り方
1 表布の脇を縫う（縫い代は割る）
　裏布の脇を縫う（縫い代は後ろ側に倒す）
2 表布と裏布を中表に合わせ、裾に返し口を残して周囲を縫い返す
3 スナップと飾りボタン（くるみボタン）をつける

51作り方

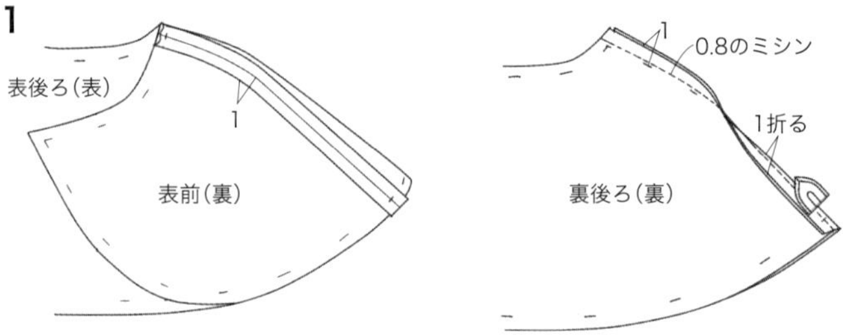

1
表後ろ（表）
表前（裏）
0.8のミシン
1折る
裏後ろ（裏）

51裁合せ図 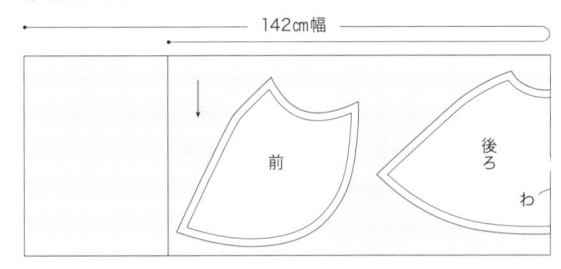
142cm幅
前
後ろ
わ
＊縫い代は1　＊くるみボタンは余ったところで裁つ

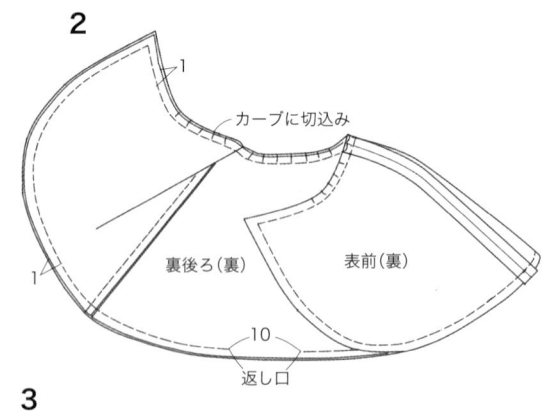

2
カーブに切込み
裏後ろ（裏）
表前（裏）
10
返し口

51作り方順序

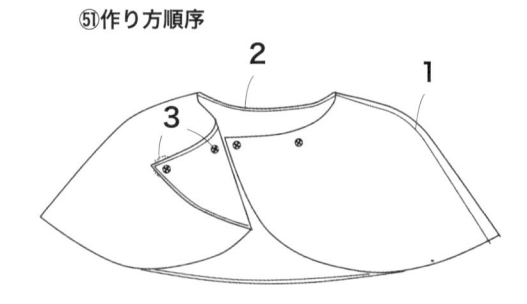

3
アイロンで整える
スナップをつける
裏後ろ（表）
表前（表）
まつる

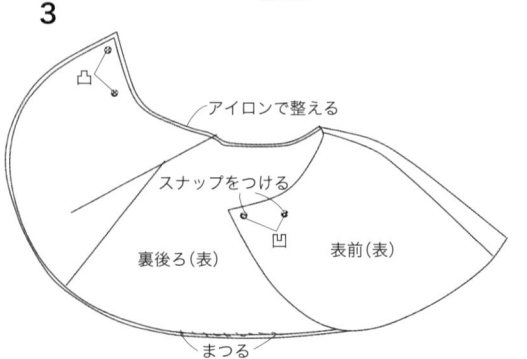

52 ケープ 〈身長80〜90cm〉 p.31

52材料
布[チェック柄フリース]……154cm幅90cm
トグルボタン……直径4cmを1個
コード……太さ0.6cmを30cm

52作り方
準備……ケープの前中心、裾、フードの中心、フードの前端にMをかける
1 フードの中心を縫う(縫い代は割る)
2 フードの前端を二つ折りにして縫う
3 フードとケープを縫い合わせる
 (2枚一緒にM。縫い代はケープ側に倒す)
4 ケープの前中心をあき止りまで縫う(縫い代は割る)
5 衿ぐりとケープのあきにミシンをかける
6 裾を二つ折りにして縫う
7 手出し口にミシンをかける
8 トグルボタンとコードをつける
＊Mは「縫い代にロックミシンまたはジグザグミシンをかける」の略

52裁合せ図

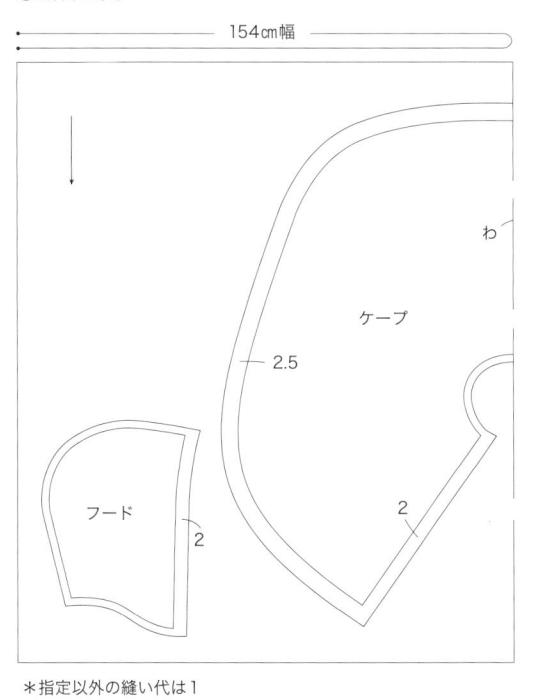

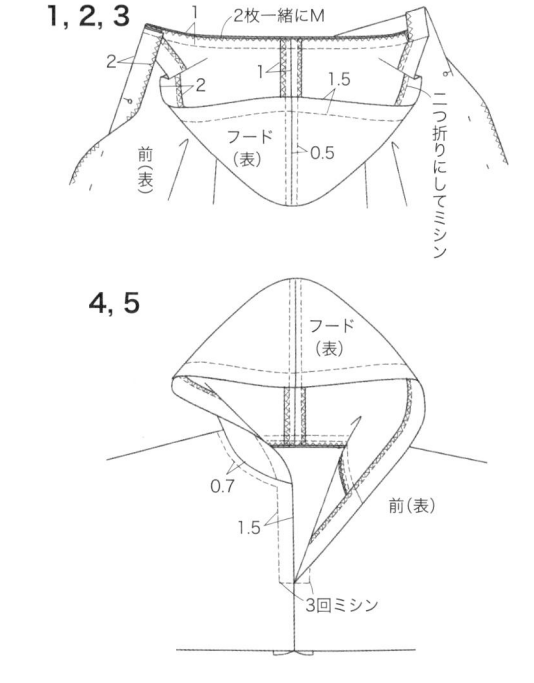

＊指定以外の縫い代は1

52作り方順序

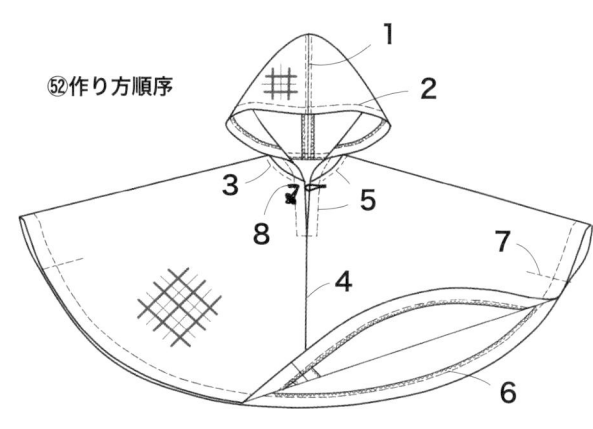

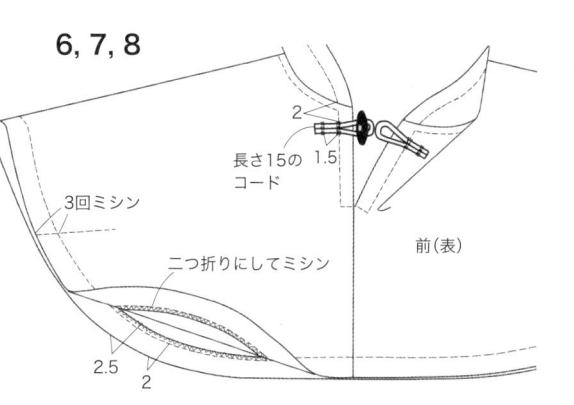

53 ジャケット〈身長75〜90cm〉 p.32

53 材料
布[キルティング地]……145cm幅90cm
バイアステープ（ふちどりニットテープ）……
11mm幅4m
スナップ……直径1.2cmを5組み

53 裁合せ図

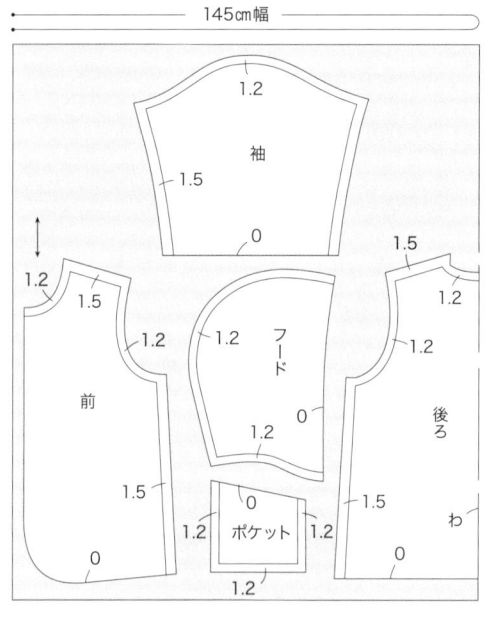

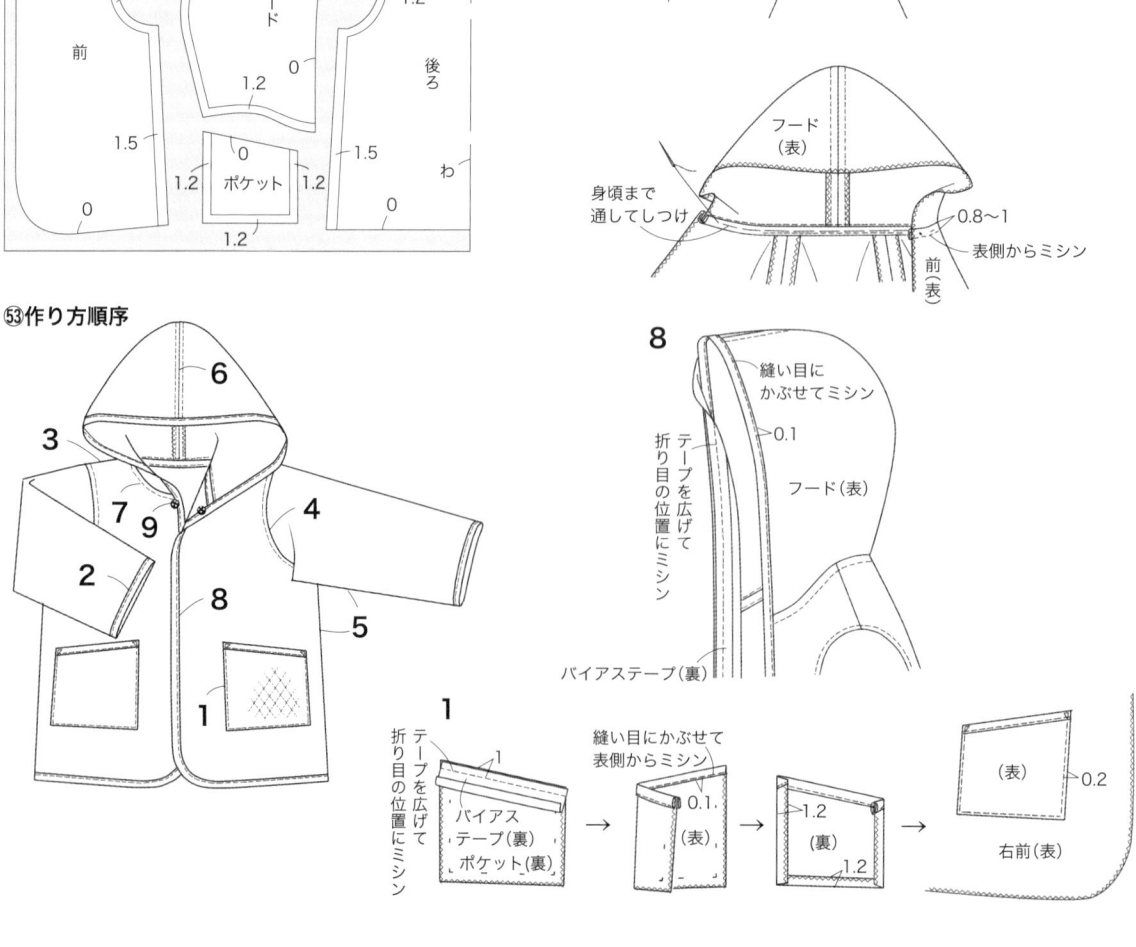

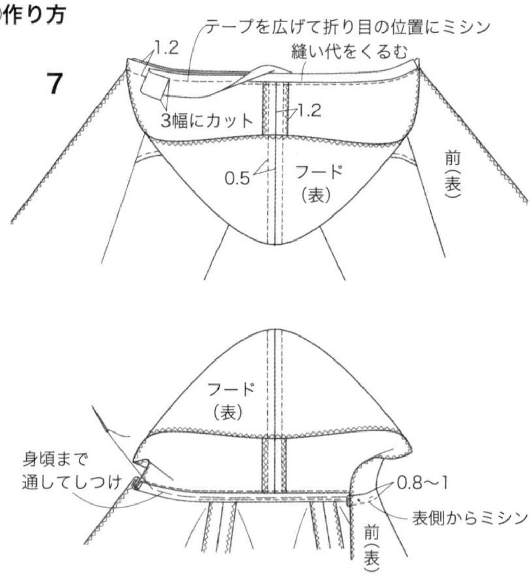

53 作り方
準備……周囲にMをかける
1 ポケットをつける
2 袖口をバイアステープでくるむ
3 肩を縫う（縫い代は割る。→p.79）
4 袖をつける（縫い代は身頃側に倒す）
5 袖下と脇を続けて縫う（縫い代は割る）
6 フードの中心を縫う（縫い代は割る）
7 身頃とフードを縫い合わせ、縫い代をバイアステープでくるむ
8 フードから身頃の裾にかけてバイアステープでくるむ
9 スナップをつける
＊Mは「縫い代にロックミシンまたはジグザグミシンをかける」の略

53 作り方順序

53 作り方

54 ジャケット〈身長75〜90cm〉 p.33

54 材料
布[キルティング地]……104cm幅1m
バイアステープ(ふちどり広幅)……11mm幅3m
スナップ……直径1.2cmを5組み

54 作り方
準備……周囲にMをかける
1 ポケットをつける(→p.78)
2 袖口をバイアステープでくるむ
3 肩を縫う(縫い代は割る)
4 袖をつける(縫い代は身頃側に倒す)
5 袖下と脇を続けて縫う(縫い代は割る)
6 衿を作る
7 衿をつける
8 前端から裾にかけてバイアステープでくるむ
9 スナップをつける

＊Mは「縫い代にロックミシンまたはジグザグミシンをかける」の略

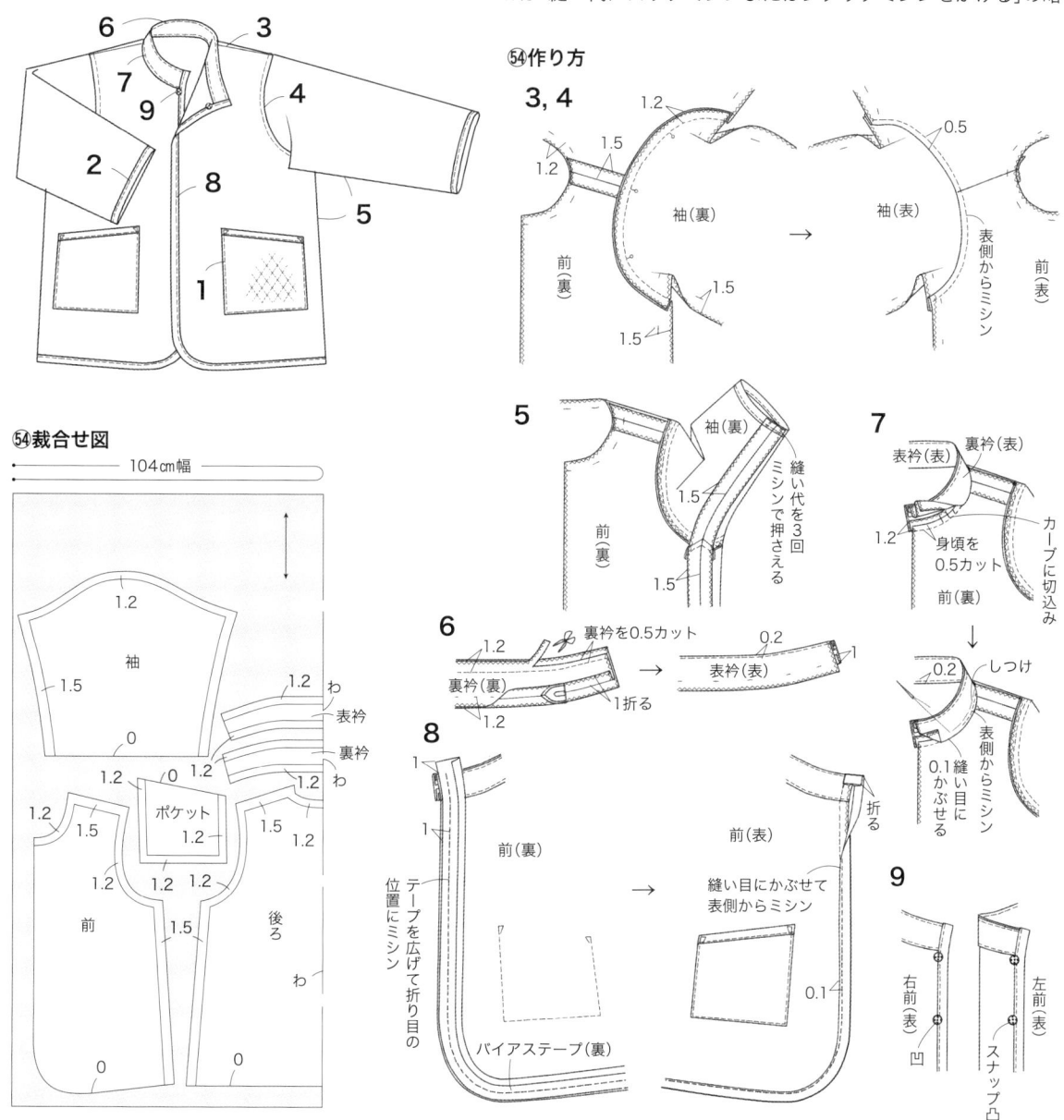

54 作り方順序

54 裁合せ図

55 56 カバーオール〈身長80〜90㎝〉 p.34、35

55材料
布[シープボア]……150cm幅1.3m
リブニット……周囲33.5cmの筒状22cm
ファスナー……37、38.5cmを1本
フェルト(耳内側)……20×20cm
伸止めテープ(ファスナー部分)……1.5cm幅90cm

55作り方
準備……ファスナー部分の縫い代に伸止めテープをはる。
　　　　フードの中心、前端、身頃の肩、脇、股下、
　　　　ファスナー部分の縫い代にM
1　フードの中心を縫う(縫い代は割る)
2　フードの前端を二つ折りにして縫う
3　後ろ中心を縫う(縫い代は割る)
4　前身頃とファスナーを中縫いする
5　肩を縫う(縫い代は割る)
6　フードと身頃を縫い合わせる
　　(2枚一緒にM。縫い代は身頃側に倒す)
7　衿ぐりとファスナーのステッチをかける
8　袖下から脇を縫う(縫い代は割る)
9　股下を縫う(縫い代は割る)
10　袖口と裾にリブをつける
　　(3枚一緒にM。縫い代は身頃側に倒す)
11　耳を作り、フードにまつりつける
12　しっぽを作り、後ろ中心にまつりつける

56材料
布[ストレッチボア]……90cm幅2.1m
リブニット……周囲33.5cmの筒状22cm
ファスナー……37、38.5cmを1本
フェルト(耳内側)……20×20cm
伸止めテープ(ファスナー部分)……1.5cm幅90cm

56作り方
55を参照
＊糸はニット用を使用する。
＊Mは「縫い代にロックミシンまたは
　　ジグザグミシンをかける」の略

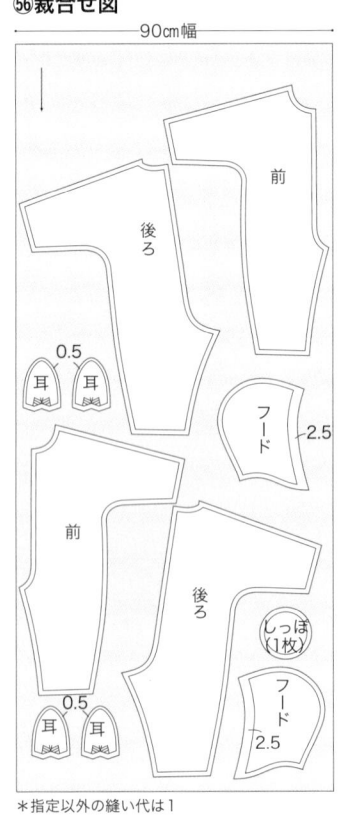

55裁合せ図
＊指定以外の縫い代は1

55作り方順序

56裁合せ図
＊指定以外の縫い代は1

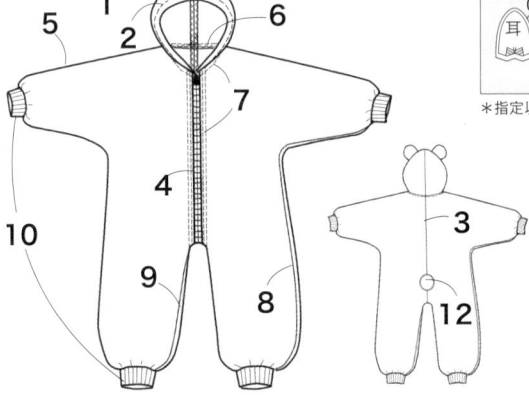

㊄ 作り方 1,2,3

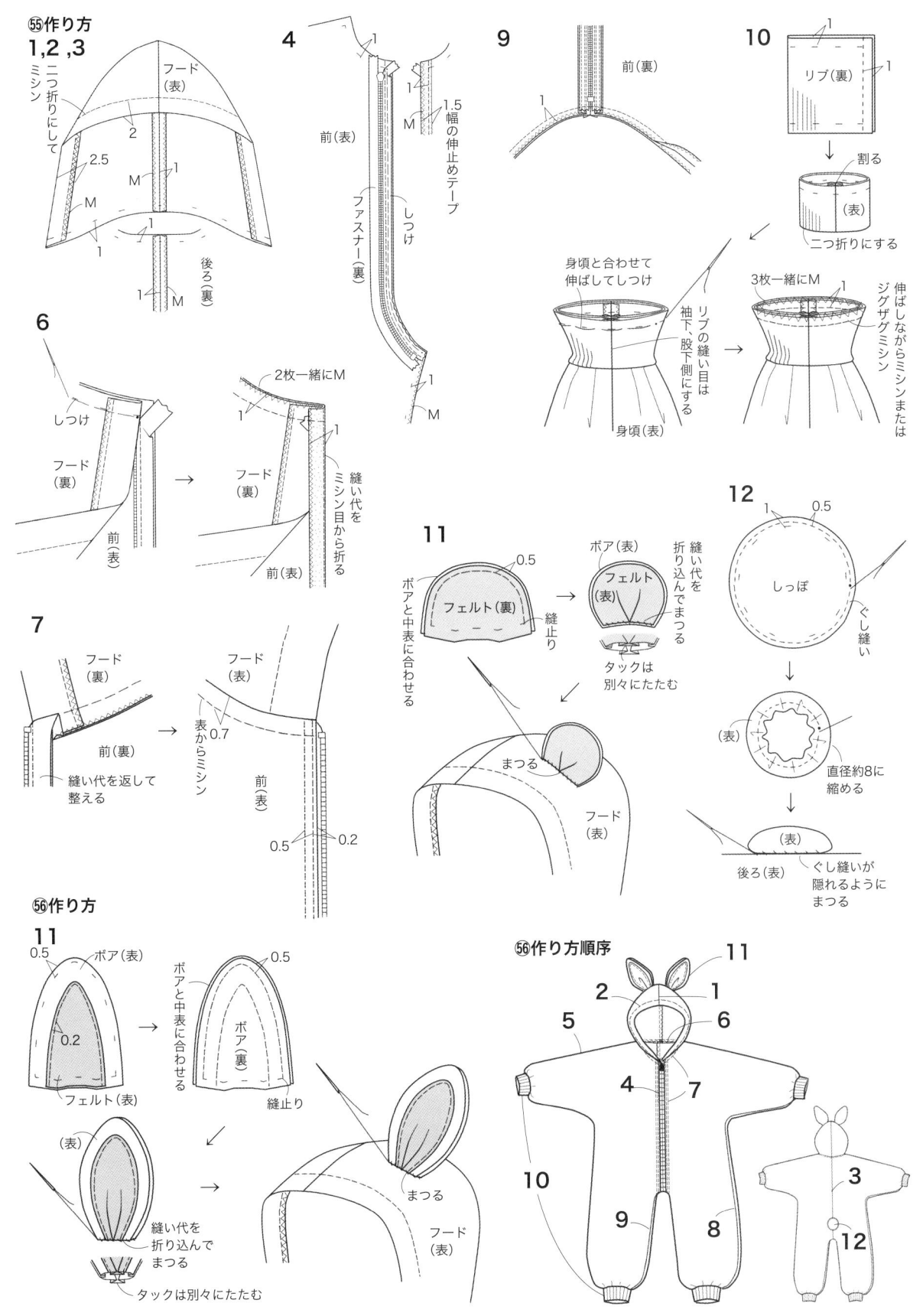

二つ折りにして
ミシン
フード(表)
2
2.5
M
M
1
M
1
後ろ(裏)
M

4
1
1.5幅の伸止めテープ
前(表)
ファスナー(裏)
しつけ
1
M

6
しつけ
フード(裏)
前(表)
→
2枚一緒にM
1
縫い代をミシン目から折る
フード(裏)
前(表)

7
フード(裏)
前(裏)
縫い代を返して整える
→
フード(表)
表からミシン
0.7
前(表)
0.5　0.2

9
前(裏)
1

10
1
リブ(裏)
1
→
割る
(表)
二つ折りにする

身頃と合わせて伸ばしてしつけ
リブの縫い目は袖下、股下側にする
→
3枚一緒にM
1
伸ばしながらミシンまたはジグザグミシン
身頃(表)

11
0.5
ボア(表)
フェルト(裏)
縫止り
→
縫い代を折り込んでまつる
ボア(表)
フェルト(表)
タックは別々にたたむ
まつる
フード(表)

12
1　0.5
しっぽ
ぐし縫い
→
(表)
直径約8に縮める
→
(表)
後ろ(表)
ぐし縫いが隠れるようにまつる

㊅ 作り方

11
0.5
ボア(表)
0.2
フェルト(表)
→
0.5
ボアと中表に合わせる
ボア(裏)
縫止り
→
(表)
縫い代を折り込んでまつる
タックは別々にたたむ
まつる
フード(表)

㊅ 作り方順序

11
2　1
5　6
4　7
10
9　8
3
12

57 スリーパー p.36

57 材料
布[ベビースムースキルト]……88cm幅80cm
ふちどりニットテープ……11mm幅4.5m
スナップ……直径1.2cmを7組み
ソフトマジックテープ……2.5cm幅8cm

57 作り方
1 前後をそれぞれふちどりニットテープでパイピングする
2 マジックテープをつける
3 スナップをつける

57 裁合せ図

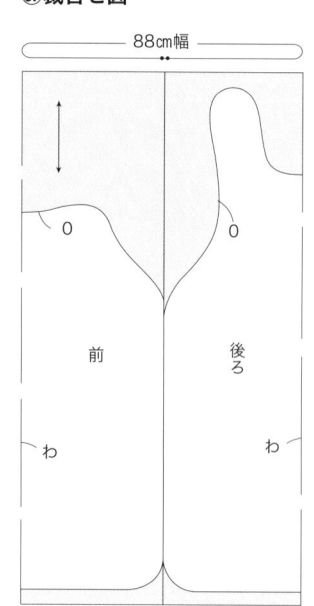

88cm幅

前 / 後ろ
わ / わ

57 作り方

②マジックテープ(ソフト)
4
0.8
①-2縫い目にかぶせて表側からステッチ
①-1テープを広げて、折り目の上にミシン
マジックテープ(ハード)
③内側にスナップ
1

57 作り方順序

3
2
1

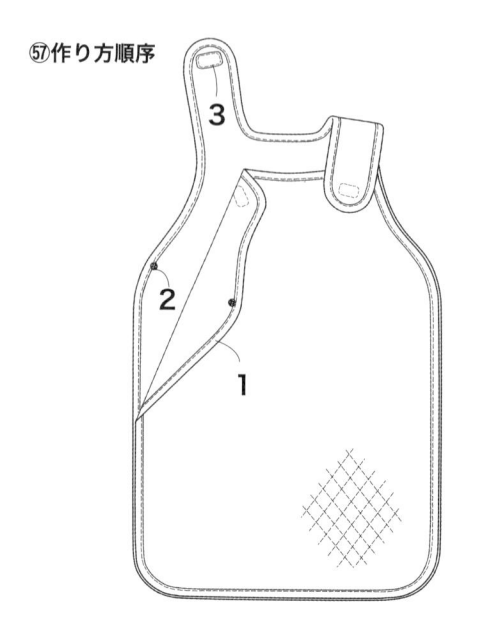

58 スリーパー p.36

58 材料
布[フリース]……150cm幅 1.1m
接着芯……5×10cm
ソフトマジックテープ……2.5cm幅 16cm
コード……太さ0.8cmを1.5m
ストッパー……2個

58 作り方
1. ひも通しのボタンホールを作る
2. 角の額縁を縫う
3. 前中心を縫う（縫い代は割る）
4. ひも通し位置を二つ折りにしてジグザグミシンをかける
5. 股下を縫う（2枚一緒にM。縫い代は後ろ側に倒す）
6. マジックテープをつける
7. ひもを通してストッパーをつける

＊Mは「縫い代にロックミシンまたはジグザグミシンをかける」の略

58 裁合せ図

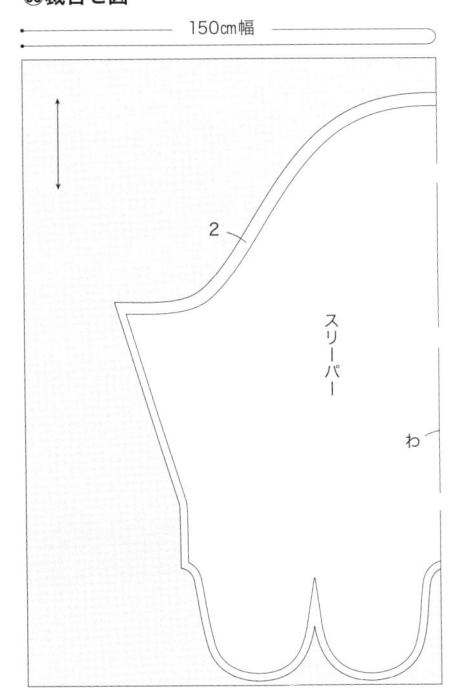

＊指定以外の縫い代は1

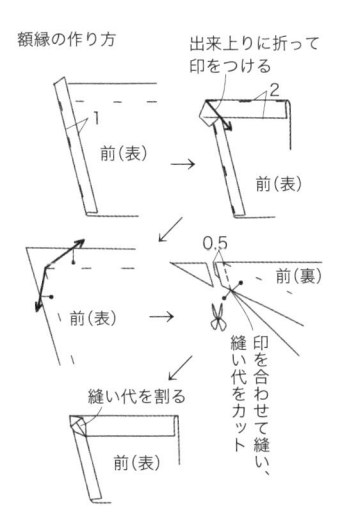

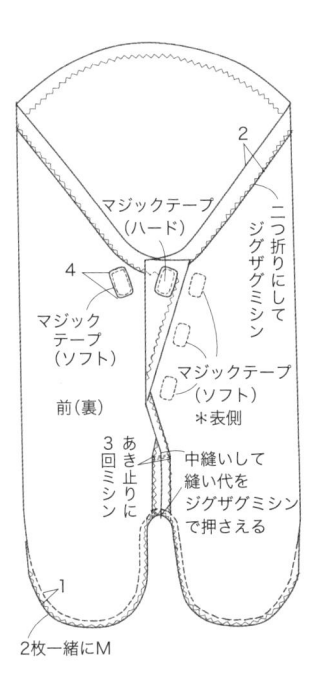

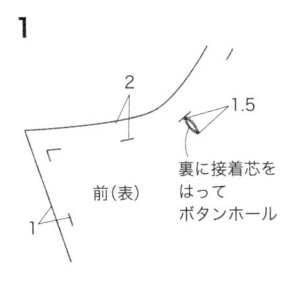

58 作り方順序

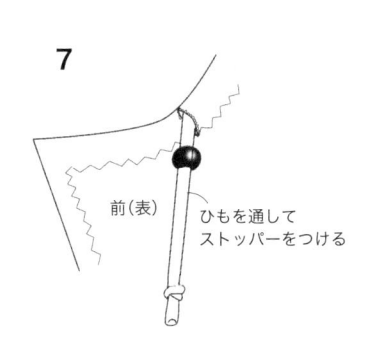

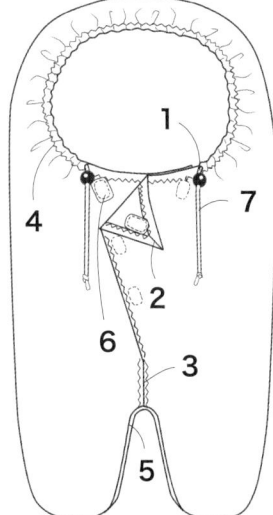

月居良子 つきおり・よしこ

女子美術短期大学卒業後、アパレル会社勤務などを経てフリーのソーイングデザイナーに。
赤ちゃん服、子ども服、ウェディングドレスまで得意分野は幅広く、
日本はもちろん、フランスや北欧にまでファンがいて人気を得ている。
著書多数。最新刊は『月居良子のいくつになっても着たい服』(文化出版局刊)。

ブックデザイン　岡山とも子
撮影　渡辺淑克
作り方解説　助川睦子
トレース　助川睦子、薄井年夫
パターントレース　アクトエイツー
校閲　向井雅子
編集　堀江友惠
　　　平井典枝(文化出版局)

● 布地提供
大塚屋　愛知県名古屋市東区葵3-1-24　車道本店　tel.052-935-4531　http://otsukaya.co.jp
オカダヤ新宿本店　東京都新宿区新宿3-23-17　tel.03-3352-5411　http://www.okadaya.co.jp/
スワニー　神奈川県鎌倉市大町1-1-8　tel.0467-24-8888　http://www.swany-kamakura.co.jp/
藤久　愛知県名古屋市名東区高社1-210　[FD]0120-478-020　http://www.fujikyu-corp.co.jp/
　　　手芸専門店が作る手作り情報があふれる街「クラフトタウン」 http://www.crafttown.jp/
ホビーラホビーレ　東京都品川区東大井5-23-37　tel.0570-037-030　http://hobbyra-hobbyre.com
ユザワヤ 蒲田店　東京都大田区西蒲田8-23-5　tel.03-3734-4141　http://www.yuzawaya.co.jp/

● 撮影協力
AWABEES　東京都渋谷区千駄ヶ谷3-50-11 明星ビルディング5F　tel.03-5786-1600

愛情いっぱい
手作りの赤ちゃん服
お誕生から2歳までのワードローブ

2012年3月3日　第 1 刷発行
2023年6月9日　第19刷発行

著　者　月居良子
発行者　清木孝悦
発行所　学校法人文化学園 文化出版局
　　　　〒151-8524　東京都渋谷区代々木3-22-1
　　　　tel.03-3299-2489 (編集)
　　　　tel.03-3299-2540 (営業)
印刷・製本所　株式会社文化カラー印刷

©Yoshiko Tsukiori　2012　Printed in Japan
本書の写真、カット及び内容の無断転載を禁じます。

・本書のコピー、スキャン、デジタル化等の無断複製は著作権法上での例外を除き、禁じられています。
　本書を代行業者等の第三者に依頼してスキャンやデジタル化することは、たとえ個人や家庭内での利用でも著作権法違反になります。
・本書で紹介した作品の全部または一部を商品化、複製頒布、及びコンクールなどの応募作品として出品することは禁じられています。
・撮影状況や印刷により、作品の色は実物と多少異なる場合があります。ご了承ください。

文化出版局のホームページ　https://books.bunka.ac.jp/